LE LIVRE DE
JOB

Ce fascicule a été revu, pour le Comité de Direction, par le R. P. PAUTREL, S. J., *Professeur au Scolasticat de Fourvière, et par* M. Albert BÉGUIN.

LA SAINTE BIBLE

traduite en français

sous la direction de l'École Biblique de Jérusalem

LE LIVRE DE

JOB

traduit par

C. LARCHER, O.P.

Professeur au Collège Théologique
de Saint-Alban-Leysse

(2e édition revue)

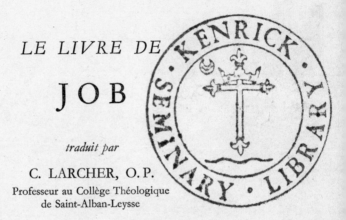

LES ÉDITIONS DU CERF

29, boulevard Latour-Maubourg, Paris

1957

NIHIL OBSTAT :

fr. M.-F. Moos, O.P.
fr. Th.-G. Chifflot, O.P.

MPRIMI POTEST :

r. D. Belaud, O.P.
prior prov. Lugd.

IMPRIMATUR :

*Lutetiae Parisiorum,
die 3ª Augusti 1950.*

C. Delouvrier,
vic. gen.

INTRODUCTION

Job et son histoire. « Il y avait jadis, au pays de Uç, un homme appelé Job. » C'est cet homme qui est mis en scène dans le livre qui porte son nom. Il était connu aussi d'Ézéchiel, qui le mentionne en compagnie de Noé, le héros du Déluge, et de Danel, une figure légendaire de l'antiquité phénicienne (Ez **14** 14, 20). Le nom de Job, en hébreu 'Iyyôb et en arabe 'Ayyoûb, doit avoir été porté par des individus réels à une époque ancienne. Il apparaît peut-être dans une liste de chefs palestiniens aux environs de l'an 2000 av. J.-C.; dans les lettres d'El-Amarna (1re moitié du xive siècle) il désigne, sous la forme Ayab, un roi de Pella alors vassal du Pharaon. Ce n'est donc pas un nom forgé de toutes pièces : nutile, par conséquent, de scruter son symbolisme à travers une étymologie qui reste obscure. Nous ignorons la généalogie de Job. Cette lacune est significative car les héros de l'histoire israélite, même les plus anciens, ont la leur. On l'omet seulement quand il s'agit de gens obscurs ou d'étrangers. Mais Job est précisément un étranger. On le fait vivre en dehors de la Palestine, aux confins de l'Arabie et du pays d'Édom. Uç, sa patrie, est mis en relation avec Édom dans Gn **36** 28 et dans Lm **4** 21. Les autres personnages du livre habitent la même région. Élihu est de Buz, que Jr **25** 23 associe à Dedân; Dedân et Témân sont rapprochées en Jr **49** 7. Les trois amis de Job résident à Témân, Shuah et Naamat (**2** 11), localités de la région iduméenne et arabe. Non seulement Job est un étranger par rapport au peuple de l'Alliance, mais il appartient encore à une race qui se rendit odieuse aux Juifs lors de la chute de Jérusalem (cf. Ez **35**; Ab **1**; Ps **137** 7). S'il est présenté comme un serviteur modèle de Yahvé, on doit en conclure qu'une tradition vénérable et indiscutable l'avait imposé en Israël.

Est-ce un personnage historique ou une figure légendaire ? Il est difficile de trancher avec certitude. La citation d'Ézéchiel se dérobe à toute précision de ce genre. Le Prologue même du livre de Job, le plus riche en renseignements, adopte le genre de l'histoire populaire, qui raconte pour charmer ou pour édifier mais sans se soucier de l'exactitude historique des faits ou même de leur vraisemblance. Son genre littéraire, indiscutable, permettrait, en principe, de conclure à la non-historicité des récits qu'il contient. Néanmoins, comme, en Orient et surtout en Israël, la tradition brode plutôt sur des faits réels qu'elle n'invente entièrement, une attitude aussi radicale ne s'impose pas. On peut donc maintenir l'existence d'un Job authentique. Il aurait vécu au sud de l'Idumée; il se serait signalé par sa résignation, sa soumission à Dieu à l'occasion d'une épreuve exceptionnelle. Nous ignorons comment son histoire fut racontée dans la suite et comment elle s'acclimata en Palestine. Hâtons-nous d'ajouter que cette question reste très secondaire : le livre de Job n'a rien d'un livre historique et son auteur manifeste clairement des préoccupations d'un autre ordre.

Le livre : sa place dans la Bible et son contenu

Dans la Bible hébraïque, Job est classé dans la troisième catégorie des livres sacrés, celle des « Écrits ». La Bible grecque le rangeait aussi parmi les « Hagiographes ». Le caractère inspiré du livre n'a jamais été contesté dans les milieux juifs. On relève seulement, chez les Rabbins, de nombreuses divergences de vues sur sa date et quelques doutes sur son fondement historique. Le Talmud, par exemple, cite ces paroles de l'un d'eux : « Job n'a pas existé et n'a pas été créé, ce n'est qu'une parabole. » Maimonide dira plus tard que « le livre de Job a pour base une fiction, conçue dans le but d'exposer les différentes opinions qu'on avait sur la Providence ».

Une analyse sommaire de cet écrit y relève différentes sections, facilement discernables. Il s'ouvre par un récit en prose (1-2) : le narrateur nous met en présence d'un homme d'une justice exceptionnelle poursuivi par Satan et accablé par des calamités successives qui doivent mettre sa piété à l'épreuve. La visite que lui rendent trois de ses amis amorce une longue discussion : c'est ce qu'on appelle le Dialogue poétique (3-31). Dans des discours dramatiques, où se mêlent le style sentencieux, l'argumentation oratoire et le lyrisme, les quatre personnages affrontent leurs conceptions sur l'exercice de la justice divine. En face du cas posé par son infortune soudaine, Job cherche une explication et se heurte à l'énigme de Dieu. Ses trois amis, au contraire, ont des solutions toutes faites et croient défendre la justice de Dieu en convainquant Job d'injustice. On distingue habituellement trois cycles de discours. Cette division superficielle ne marque pas, pour autant, les principales étapes dans la progression des idées. Celle-ci se fait d'une manière assez libre, par un renforcement de lumière sur les conséquences de principes posés dès le début, sur les différents aspects d'une notion centrale. Les interlocuteurs de Job partent de considérations générales, de la doctrine des rétributions terrestres. Dans le désir d'y ramener le cas soumis à leur examen, ils durcissent de plus en plus leur position. Job, lui, part de son expérience douloureuse et y revient sans cesse. Gardant le contact avec les faits, il voit se détacher, à l'arrière-plan, la grande misère de l'humanité qui souffre et qui peine. Hanté personnellement par le désir d'une justification de la part de ce Dieu qui lui fait violence, son regard s'étend à toutes les injustices qui règnent en ce monde et semblent mettre en cause la justice de Dieu. Incapable de trouver une issue et une solution, il termine ses discours par une apologie solennelle de sa vie antérieure.

C'est alors qu'entre en scène un interlocuteur inattendu, Élihu (**32-37**). Après de longs morceaux d'éloquence qui trahissent une rhétorique malhabile, il s'efforce de faire la lumière sur les problèmes qui viennent d'être agités. Il assure d'une autre manière la justice de Dieu dans le jeu des rétributions terrestres en expliquant les exceptions apparentes. Il est interrompu par Yahvé qui « répond à Job du sein de la tempête », confond l'audace de celui qui a prétendu s'ériger en juge des voies de Dieu (**38-42** 6). Enfin un Épilogue narratif, de même style que le Prologue, dénoue le drame. Il nous laisse sur la vision réconfortante d'un Job « ressuscité », ramené en quelque sorte de la mort à la vie, récompensé au double pour une épreuve supportée avec tant de piété.

Unité et authenticité. Ces éléments divers peuvent-ils être réduits à l'unité et supposent-ils un même auteur ? Il y a longtemps que la critique en a contesté l'homogénéité et soulevé des doutes contre l'authenticité de certains d'entre eux. La première difficulté concerne les rapports entre le Prologue-Épilogue et le Dialogue poétique. On oppose le Job pleinement résigné au Job tourmenté, sollicité par le doute et la révolte; l'adorateur de Yahvé à celui qui ne connaît qu'Élohim ou Shaddaï; celui qui manifeste un souci scrupuleux des observances cultuelles à celui qui n'en tient aucun compte dans la justification de sa vie passée. Le caractère impersonnel du récit en prose, son allure à la fois naïve et ironique font contraste avec l'accent personnel du poème, chargé de douleur et d'angoisse, etc. Toutes ces divergences ne sont pas irréductibles; elles ne postulent pas des auteurs différents dont les œuvres respectives auraient été soudées postérieurement. Parmi les nombreuses explications proposées, la suivante nous semble préférable. L'auteur du Dialogue poétique s'est trouvé en face d'une vieille tradition aux contours assez fermes. Ou bien elle était racontée oralement, mais avec des traits et des détails que le temps avait contribué à fixer; ou bien elle avait déjà été mise par écrit. Le poète a vu là un cadre idéal pour exposer ses propres vues : le temps et peut-être aussi la légende avaient imposé Job comme un juste incontestable, il pouvait devenir le type de l'innocent qui souffre sans raison apparente. Mais nous ignorons quelles modifications il a fait subir à cette donnée ancienne. Il ne doit pas avoir introduit alors le personnage de Satan, qui donne une partie de sa saveur au vieux récit. Il se pourrait, par contre, qu'il ait ajouté la visite des trois amis pour amorcer et pour clore le Dialogue (2 11-13 et 42 7-10).

L'unité primitive du Dialogue lui-même a été aussi contestée. Pour des raisons peu convaincantes, on a parlé de poèmes antérieurs utilisés par l'auteur ou d'additions substantielles qui changent complètement la physionomie de l'original. C'est méconnaître la cohésion organique de l'ensemble, l'unité de style et de langue; c'est morceler arbitrairement ce qui porte la marque d'un même poète génial et d'une même âme religieuse. On admettra seulement que le Dialogue a pu subir certaines retouches de détail. Le dommage le plus sérieux a porté sur le troisième cycle de discours, à partir de 24 18 jusqu'à 27 23. L'ordre y est certainement troublé et le texte de certains passages très altéré. Job paraît prendre à son compte la thèse soutenue par ses amis; le discours de Bildad est très bref (25 1-6), Çophar ne souffle mot et on annonce par deux fois une reprise des discours de Job (27 1 et 29 1). Aucune explication satisfaisante de ce désordre n'a été apportée. D'après les uns, il serait dû à un accident dans la transmission manuscrite; selon d'autres, il résulterait d'un remaniement intentionnel, visant à ramener Job à la position « orthodoxe ». Les remèdes proposés sont presque aussi nombreux que les critiques. Nous avons essayé, pratiquement, de garder le plus possible l'ordre du texte reçu, sans nous résigner toutefois à laisser 24 18-25 sur les lèvres de Job et en continuant le discours de Bildad par 26 5-14.

Le poème sur la Sagesse (28) apparaît à beaucoup de critiques comme un élément hétérogène dans la structure littéraire de l'ensemble. Il semble détaché de son contexte (cf. v. 1, voir note critique : « car »). Il se comprend difficilement dans la bouche de Job qui lutte pour pénétrer les secrets de la Providence. Ses amis ont parlé plusieurs fois de la Sagesse infinie de Dieu et même argumentent en parlant d'elle (v. g. **11** 5 s). Mais l'attribuer à l'un d'entre eux, le mettre par exemple à la suite de **26** 5-16, c'est en méconnaître la pointe précise. Il vise à décourager chez l'homme toute tentative de percer le mystère des voies divines. Au contraire il présente beaucoup d'affinités avec les discours de Yahvé : il doit confondre l'homme par la description d'une Sagesse qui lui demeure inaccessible et l'inviter également à rester dans ses limites de créature. On y verra l'œuvre du même auteur ou, en tout cas, de quelqu'un appartenant à un même milieu et ayant des préoccupations semblables. Mais ce poème semble avoir été composé en marge du livre de Job primitif, ou après lui, et inséré à cet endroit du livre actuel pour des raisons qui nous échappent.

L'authenticité des discours d'Élihu est beaucoup plus contestable. Ce personnage a l'air d'un intrus dans ce dialogue à quatre personnages : son intervention n'est pas préparée et il disparaît de la scène sans que Yahvé ait un mot pour lui. Il argumente d'une façon différente de celle des interlocuteurs précédents, il fait figure d'un arbitre qui a longuement réfléchi sur toutes les pièces du procès. Il anticipe de telle sorte sur les discours de Yahvé qu'il donne l'impression de vouloir les compléter. Enfin, il est très éloigné de la maîtrise littéraire, de la sobriété puissante de l'auteur du Dialogue; il a son style à lui et un vocabulaire caractéristique. Sans doute, parce qu'il imite, on relève de nombreuses ressemblances, mais ce sont alors les différences qui pèsent. Pour toutes ces raisons et d'autres encore, il nous semble que ces discours ont été ajoutés par après et sont l'œuvre d'un autre. Ils étaient certainement connus du Siracide (**43** 12 s). Bien entendu, ils font partie du livre canonique, sont inspirés comme le reste et ils apportent une contribution doctrinale réelle aux problèmes posés. Mais reconnaître leur valeur doctrinale n'implique pas qu'on renonce aux discernements de la critique littéraire.

C'est avec des arguments beaucoup plus faibles que certains exégètes ont mis en doute l'appartenance des discours de Yahvé au poème primitif. En réalité, ils donnent seuls une conclusion satisfaisante au Dialogue qui prépare de loin cette intervention finale de Yahvé. Ils ne lui cèdent en rien pour la maîtrise littéraire, la vigueur de pensée et la richesse d'images. Faut-il faire exception pour la section sur l'autruche (39 13-18) et les descriptions de Béhémoth et de Léviathan, y voir des additions postérieures ? La première tranche sur son contexte, mais, pour y voir plus clair, il faudrait que le texte du premier verset fût mieux assuré et il resterait à expliquer l'insertion. Les deux autres, pense-t-on, en allongeant démesurément un discours unique de Dieu, auraient amené leur auteur ou un rédacteur postérieur à les couper en deux. La double réponse de Job, dans 40 3-5 et 42 1-6, témoignerait de ces remaniements apportés au texte. On se sent un peu gêné par l'importance accordée, dans ces trois cas, à des critères littéraires qui préjugent des règles auxquelles l'auteur aurait dû se conformer. Le poète original a pu lui-même enrichir et remanier son œuvre. Ces descriptions sont dignes de sa plume; elles prennent une telle signification dans l'ensemble du livre qu'il faudrait des raisons plus décisives pour lui en refuser la paternité.

Auteur et date. L'écrivain sacré qui a composé le livre de Job reste pour nous un inconnu. Nous ne le connaissons que par son œuvre et dans la mesure où il s'y est mis lui-même. Il nous apparaît comme un poète de génie, un penseur exigeant et profond, une âme religieuse exceptionnelle ouverte au mystère de Dieu et éprise d'un idéal moral très élevé, un cœur sensible à la misère des petits et à la grande détresse humaine, un être enfin qui peut avoir beaucoup souffert. Il a laissé à la postérité un chef-d'œuvre incomparable, où un grand poète voyait « l'une des plus grandes choses écrites jamais par la plume de l'homme » et qui a exercé de l'influence sur d'autres chefs-d'œuvre, le *Faust* par exemple. Il était certainement un fils d'Israël : il atteste une grande familiarité avec les livres sacrés de son peuple, surtout les écrits prophétiques et les enseignements des Sages. Les plaintes de Job rappellent aussi certaines lamentations du Psautier (v.g. Ps **38**, **88**, **102**). On a lieu de croire qu'il vécut en Palestine, d'après les images qui lui sont le plus familières. Mais il a dû séjourner ou voyager à l'étranger. En particulier, il apparaît bien informé sur les choses d'Égypte. Il est au courant des légendes sacrées et des traditions religieuses qui circulaient anciennement en Mésopotamie et en Phénicie. Avec Ézéchiel, il est l'un des hommes les plus érudits de l'Ancien Testament et son vocabulaire se révèle très riche. Il appartenait probablement à la classe des Sages, que nous fait connaître indirectement le livre des Proverbes. Il doit avoir été formé par eux, puis s'en être détourné en constatant les insuffisances de leurs doctrines. On a pensé jadis qu'il avait subi l'influence de la culture grecque : on l'a mis en contact avec le *Prométhée* d'Eschyle, certaines tragédies de Sophocle ou d'Euripide, voire même les *Dialogues* de Platon. Depuis, une meilleure connaissance des littératures religieuses de l'Orient ancien a suggéré des rapprochements plus vraisemblables. On retient surtout le *Dialogue* égyptien *du Lassé de la vie avec son âme* et, du côté babylonien, ce qu'on appelle *le poème du juste souffrant* et qu'on pourrait intituler : « la plainte d'un sage sur les injustices de ce monde ». Néanmoins, on aurait tort de voir dans ces parallèles la source où a puisé l'auteur de Job. Toute comparaison fait ressortir davantage l'originalité littéraire et doctrinale de ce dernier.

A quelle époque a-t-il vécu ? Le cadre patriarcal de l'histoire de Job fit croire aux Anciens qu'elle était l'œuvre du même auteur que la Genèse : Moïse. Ainsi le Talmud babylonien. La Septante, dans une addition apocryphe placée à la fin du livre, semble penser de même : elle identifie Job avec Yobab, roi d'Édom et arrière-petit-fils d'Ésaü (Gn **36** 33). En réalité, ce coloris patriarcal du récit en prose provient de la tradition populaire ou des conteurs anciens. Il ne nous renseigne pas sur la date de composition du dialogue poétique.

Nous en sommes réduits à des conjectures. On a proposé entre autres l'époque de Jérémie, le temps de l'exil babylonien ou les siècles qui ont suivi celui-ci. Sans pouvoir entrer dans les détails, nous pensons qu'une date post-exilique est à préférer. La langue, fortement teintée d'aramaïsmes, renvoie à une époque où cet idiome s'était répandu chez les Juifs. Le livre de Job doit être postérieur aux écrits d'avant l'exil avec lesquels il présente des ressemblances (cf. par ex. Jb **3** et Jr **20** 14 s). L'allusion à une déportation dans **12** 17 s se comprend mieux de l'exil de Juda. Les préoccupations du temps de l'exil, l'obsession continuelle du sort de la nation, même lorsque commence à se dégager l'idée d'un salut individuel, l'influence prédominante sur les esprits des messages prophétiques, la haine violente que l'on éprouvait alors pour Édom, etc., ne permettent guère de situer alors la composition du livre de Job. Celui-ci n'envisage nulle part les destinées du peuple comme tel; il applique même à l'individu les descriptions prophétiques du jugement de Dieu contre la nation ou les autres peuples. Et c'est à cette lumière qu'il faut envisager la relation entre Job et le Serviteur souffrant d'Isaïe (**52** 13-**53** 12). Dans la ligne de l'évolution doctrinale, Job semble être antérieur. Mais les points de vue sont différents : Job traite d'un problème individuel, tandis que le Serviteur procure, par ses souffrances, le salut des multitudes.

Si le livre de Job est de la période post-exilique, peut-on préciser davantage à l'intérieur de celle-ci, du Ve au IIIe siècle av. J.-C. ? Pour des raisons non décisives, la première moitié du Ve siècle semble la date la plus indiquée. Alors se dissipe l'influence salutaire exercée précédemment par Aggée et Zacharie. C'est l'époque qui précède la venue d'Esdras, lequel établira sur la vie du peuple la pression de la Loi. L'attitude sceptique et révoltée des contemporains de Malachie (Ml **2** 17; **3** 13-18), les tristes conditions morales et sociales auxquelles s'appliquent des textes comme Is **58** 7; **59** 7-15, etc., concordent assez bien avec ce que laisse entrevoir le livre de Job.

Sujet et but. Le spectacle d'un juste plon-
gé soudain dans le malheur,
accablé par des souffrances im-
méritées, reste continuellement devant nos yeux dans le livre
qui le met en scène. Son cas pose un problème, non pas au
lecteur qui sait qu'il s'agit d'une manœuvre de Satan, mais
à Job lui-même, censé l'ignorer. Est-ce à dire que l'auteur
s'est proposé de traiter du problème de la souffrance du juste
et d'en rechercher la solution ? Tel ne semble pas avoir été
son but principal. Sans doute, il suggère quelques solutions.
Le Prologue explique la souffrance comme une mise à l'épreuve
de la piété sincère; les amis de Job parlent de celle qui corrige
et purifie l'homme. Mais l'auteur pense que ces explications
sont insuffisantes : à la fin du Dialogue, Job, loin d'être éclairé,
en est réduit à une apologie solennelle de sa vie passée et Yahvé
lui-même ne donne aucune explication. Du reste, le problème
de la souffrance lui-même est touché sous un angle très spécial,
caractéristique de la mentalité hébraïque ancienne. Job se
considère comme frustré par Dieu de l'épanouissement normal de son état de justice. La violence qui lui est faite l'atteint
directement dans son honneur, sa dignité; il ressent très vive-
ment l'hostilité de fait d'un Dieu qui ne le traite plus comme
un juste et un ami, mais comme un coupable et un ennemi. Il
y a là, pour lui qui s'accroche au témoignage de sa conscience,
une contradiction, une rupture inexplicable entre des éléments
qui, jusque-là, paraissaient inséparables. En définitive, il s'agit
pour lui de savoir si un homme peut continuer d'être reconnu
juste par Dieu, alors qu'il est privé du rayonnement extérieur
de son état de justice.

On a prétendu parfois que l'auteur de Job s'est proposé de
réagir contre la thèse courante des rétributions terrestres,
exposée sous ses différents aspects par ses amis. Mais Job persiste à croire qu'une sanction divine doit accompagner la
vertu de l'homme ici-bas. Ses plaintes continuelles, ses protestations véhémentes, ses appels à une justification d'En-Haut
procèdent de cette conviction. L'exemple typique de son

infortune doit donc servir à assouplir ou à creuser la doctrine traditionnelle, non à la rejeter entièrement. Et le problème posé sous cet aspect précis aboutit à un examen plus rigoureux de l'exercice de la justice de Dieu. L'intention foncière de l'auteur paraît avoir été de scruter davantage celle-ci; il s'est demandé si elle se limitait, en définitive, à un jeu régulier de compensations extérieures, ou si elle ne se concentrait pas plutôt en une relation plus personnelle de Dieu à l'homme. Assurément cette enquête n'a rien de théorique, elle est menée d'une manière très concrète. Mais il semble bien qu'en interprétant de la sorte les intentions de l'auteur, on réduit plus facilement à l'unité tous les éléments qui composent son livre. Par exemple, le récit en prose présente la justice de Dieu dans son exercice normal : Job est finalement récompensé et les maux qui l'assaillent injustement ne sont pas provoqués par Dieu mais par Satan. Les trois amis de Job se font les champions de la thèse traditionnelle, mais ils la poussent à l'extrême en voyant dans tous les maux subis par l'homme un châtiment infligé par Dieu. Bien plus, l'étendue de la peine permet de juger de la gravité de la faute. Et c'est sur ce point précis que Job leur fausse compagnie. Il proteste contre le durcissement d'une notion trop schématique et trop rationnelle. Il niera jusqu'au bout sa culpabilité, malgré les faits qui semblent lui donner tort. Bien plus, poussé à bout par l'obstination des autres, il aura beau jeu de puiser dans la réalité humaine les démentis à la loi. La justice de Dieu doit être quelque chose de plus mystérieux. Les discours de Dieu lui apprendront précisément qu'elle s'identifie, dans sa source, avec la toute-puissance d'un être entièrement libre, qui fonde la justice créée, mais la domine.

En résumé, le cas d'un juste souffrant est la matière vivante du livre de Job. L'auteur l'envisage sous l'angle de la doctrine courante des rétributions terrestres pour exposer, en définitive, une notion plus compréhensive et plus vraie, quoique plus mystérieuse, de la justice de Dieu. Il est donc préoccupé avant tout par un problème de théodicée.

La doctrine. Si le mystère de Dieu est au centre d'un livre qui parle sans cesse de Lui, c'est sur ce point surtout que doit se manifester son apport doctrinal. Nous verrons qu'il en est bien ainsi. Mais parce que l'enquête est menée à travers des faits concrets, que le développement doctrinal se produit à l'intérieur d'une doctrine plus ancienne, celle des rétributions terrestres, il importe de résumer celle-ci, puis de noter, à travers le livre de Job, quelles explications elle était capable de donner au problème de la souffrance du juste.

Par une méthode d'éducation adaptée à des esprits tournés vers les biens sensibles, Dieu, dans le passé, avait voulu inculquer au peuple israélite ses exigences morales en les accompagnant de sanctions terrestres. A la pratique du bien était promise la paix, la prospérité et le bonheur ici-bas; le mal devait être châtié d'une manière prompte et sensible. Anciennement, ces sanctions revêtaient le plus souvent un caractère collectif, dans un milieu où l'individu avait un sens très vif de son appartenance à un groupe social et acceptait d'en être solidaire. Des textes législatifs comme Dt 28 et Lv 26 résument bien cette doctrine des rétributions terrestres, que les livres historiques montrent à l'œuvre dans les faits. Elle est supposée par toute la prédication prophétique, qui contribua encore à renforcer le sentiment d'une responsabilité commune dans le châtiment. Au temps de l'exil, lorsqu'eut été brisée l'unité nationale, et que l'individu supportait mal d'être maintenu sous le châtiment pour les fautes de ses pères et risquait de tomber dans le découragement, fut formulée la loi de la responsabilité individuelle; elle trouve son expression classique dans Ez 18. L'idée que chacun est responsable de ses actes et rétribué en conséquence n'était pas entièrement nouvelle. La Loi s'adressait à chaque membre du peuple et les Prophètes faisaient appel à l'initiative individuelle; les héros du passé, David par exemple, avaient décidé par leurs œuvres de leur bonheur ou de leur infortune; tout l'enseignement des Sages, qui visait à une formation humaine complète, faisait intervenir les sanctions d'une justice immanente, ou mieux, d'une justice que dispensait Yahvé lui-même. Enfin, dès avant l'exil, on trouve mentionnées certaines protestations ou dérogations à l'usage (cf. Dt 24 16; Jr 31 29-30; et 2 R 14 6) L'originalité d'Ézéchiel consiste plutôt en ce qu'il brise d'autorité l'étau de la solidarité collective et qu'il ouvre la voie à une application plus individuelle et plus spiritualisée du jugement et du salut prophétiques. Mais il ne quitte pas le plan des sanctions terrestres. La justice divine est toujours censée s'exercer ici-bas, avant la mort de chaque homme. Or plus les rétributions prenaient un caractère individuel, plus elles étaient affirmées, sous l'influence prophétique, comme les réactions immédiates et nécessaires d'un Dieu personnel, plus aussi elles devaient se heurter au démenti des faits. Déjà Jérémie, à la religion si personnelle, avait attiré l'attention sur le scandale de la prospérité des impies (12 1-3) et sa propre vie, celle d'un homme persécuté et méconnu quoique béni de Dieu, posait elle-même un problème. De son temps aussi, la mort violente et prématurée du pieux roi Josias avait fait scandale. Pour répondre à ces difficultés, nous constatons, en dehors du livre de Job, qu'on proposait les explications suivantes. Le bonheur des méchants, disait-on, est de courte durée; si Dieu cache sa face et les laisse triompher, c'est pour sévir ensuite avec plus de rigueur (cf. Ps 73 et 37). Si le juste est visité par le malheur, il s'agit parfois d'une mise à l'épreuve de sa vertu (cf. Gn 22 12); ce peut être aussi à cause de fautes cachées, commises par ignorance ou par faiblesse (cf. Ps 19 13-14; Ps 25 7). Le remède se trouve alors dans les sacrifices prévus (Nb 15 22-29) ou dans la prière repentante, car le juste conserve l'espoir de pouvoir se relever (Pr 24 15-16). On pressent aussi qu'un homme peut être sacrifié à une mission confiée par Dieu, souffrir à cause de ses frères : c'est le cas des Prophètes, de Jérémie spécialement. On a enfin l'exemple du Serviteur d'Isaïe qui expie en sa personne les transgressions de son peuple.

Le livre de Job, dans ses divers éléments, est un miroir de

toutes ces conceptions sur l'exercice des rétributions terrestres. Le dénouement du récit en prose revient apparemment à la doctrine traditionnelle et laisse le lecteur sur une vision rassurante de la justice de Dieu. Job y intercède pour ses amis. Les discours d'Élihu creusent d'une façon originale les solutions indiquées plus haut. Si le méchant n'est pas châtié comme il semblait le mériter, c'est qu'il a pu se repentir (34 27-33). Si Dieu inflige des maux à ceux qui passent pour justes, c'est pour leur faire expier des péchés d'omission (36 16 s), des fautes commises par égarement ou par inadvertance (34 31-32); pour les prémunir contre des fautes plus graves et extirper leur secret orgueil (33 17 s; 36 8 s). Si Dieu semble rester sourd aux gémissements des opprimés, c'est que ceux-ci ne l'appellent pas à l'aide et se raidissent (35 9 s). Les trois amis de Job admettent d'abord que celui-ci est réellement juste, au sens ordinaire du mot. Son infortune doit s'expliquer comme une correction passagère, un moyen de le purifier de fautes plus subtiles, car « nul mortel ne peut prétendre être pur aux yeux de Dieu » (4 17; 5 17). Ils décèleront ensuite à travers l'emportement (5 2 s; 15 12) et les paroles impies de Job (15 4-6) un état d'injustice et d'impiété beaucoup plus grave. Leur effort consistera de plus en plus à le mettre en face des fautes précises qu'il a dû commettre. En réalité, ils s'en tiennent à un présupposé rigide. Les maux de Job ne peuvent s'expliquer autrement que comme le châtiment de péchés et de péchés graves. Avec eux, la doctrine courante revêt une dureté qu'elle n'a nulle part ailleurs dans l'Ancien Testament et qui rejoint les croyances populaires au temps de Notre Seigneur (Lc 13 1-4; Jn 9 2). Tout malheur qui frappe l'homme est à considérer comme une punition de Dieu pour des péchés commis.

Et Job proteste de toutes ses forces contre cette corrélation rigoureuse. Il ne nie pas la réalité de châtiments de cette sorte, il se refuse seulement à les voir dans toute infortune. Engagé dès lors sur une piste très différente des sentiers battus, il fait le procès de cette conception étroite de la justice de Dieu.

Celle-ci ne peut se vérifier dans les faits, se justifier par eux de même que les perfections créées font remonter aux attributs divins. Elle n'est pas une loi qui s'impose à Dieu et qui peut être enfermée dans les concepts rationnels de l'homme. Elle doit être quelque chose de plus mystérieux.

En conséquence, le Dieu de Job devient un Dieu très différent de celui de ses amis. Sans doute il leur arrive de célébrer ses perfections en des termes analogues. Mais Job lutte pour retrouver Dieu en se sentant coupé de Lui tandis que les autres se contentent de bien parler de Lui. Et Job est le seul qui affronte le problème de Dieu. A vrai dire, on a beaucoup de peine à réduire à l'unité les conceptions diverses d'un livre si riche, à suivre toutes les fluctuations d'un homme gémissant sous la souffrance et bouleversé par l'hostilité apparente de son Dieu. Dans les tirades les plus violentes de Job, réapparaît l'image primitive d'une divinité farouche et arbitraire, aux réactions brutales et imprévisibles. Job se plaint d'un être qui l'a assailli à l'improviste, l'a terrassé avec une violence inouïe (**16** 12; **30** 18), s'acharne sur lui sans répit, l'épiait depuis longtemps pour le prendre en défaut, et en veut à sa vie. C'est la même puissance obscure qui bouscule dans l'homme le témoignage de sa conscience (**10** 15-17), qui « fait périr de même justes et coupables et se rit de la détresse des innocents » (**9** 22). Il semble que l'auteur ait voulu faire sortir de l'ombre cette figure ancienne de la divinité, que la révélation de Yahvé avait refoulée, pour l'expurger radicalement. Mais il la dresse dans un relief saisissant. Sur cette image se superpose une autre, plus ferme, plus rassurante : celle du Dieu que Job a appris à connaître dès son enfance et à laquelle il s'accroche désespérément. C'est le Dieu personnel et bienfaisant, qui a fait connaître ses volontés, imposé ses exigences morales, se doit de venger la cause de ses fidèles et ne peut refuser de rendre témoignage à la vertu bafouée et méconnue. Il est aussi le Dieu qui entretient des relations amicales avec l'homme, l'assure de sa protection et l'éclaire de sa lumière. C'est vers Lui que se tourne le Job qui réclame sans cesse

justice, espère jusqu'au bout que Dieu « reconnaîtra son droit »,
est hanté par les souvenirs d'antan et s'attendrit passagèrement
en évoquant la bonté fidèle de ce Dieu (**7** 7-8; **10** 8-12; **14**
13-15; **23** 3-7). Mais il a l'impression de lutter vainement. Le
visage du Dieu caché et mystérieux de plus en plus l'obsède
et l'accable. Il découvre Celui qui « n'est pas comme lui un
homme », qui « n'a pas des yeux de chair et ne voit pas à la
façon des hommes », qui habite une sphère inconnue de
l'homme et inaccessible, et qui pourtant lui est constamment
présent. Il ne se laisse pas enfermer dans des catégories créées,
il agit pour des motifs connus de Lui seul et qui déconcertent.
Les discours de Yahvé confirment précisément les pressenti-
ments de Job. En face d'un Dieu si transcendant dans son être
et dans ses desseins, la raison humaine perd tout appui. Il n'y
a pas, dans tout l'Ancien Testament, de livre qui lui fasse
sentir davantage son impuissance. Même la seconde partie
d'Isaïe (**40-55**), par les images familières qu'elle emploie en parlant de Dieu, ne dépayse pas à un tel degré l'esprit de l'homme.

Nul ne pose aussi nettement le problème de la destinée
humaine. Pourquoi Dieu donne-t-il la vie à ceux qui la passeront dans une amère tristesse (**3** 20) ? Quel sens peut avoir
l'existence de ces créatures éphémères, condamnées à une
continuelle corvée (**7** 1), rassasiées de peines et de tourments
(**14** 1 s) ? Et tout cela, pour aboutir au Shéol, le rendez-vous
commun des Ombres désincarnées, où cesse toute joie, toute
louange de Dieu, où toute distinction s'efface; où règnent les
ténèbres et où « la clarté même ressemble à la nuit sombre »
(**10** 21-22). Ce pessimisme de Job n'est pas celui des poètes
profanes et des penseurs païens. Il est aggravé par les convictions religieuses qui l'animent. Car Dieu se soucie de cet être,
se montre exigeant à son égard au lieu de tenir compte de sa
faiblesse et de le laisser jouir de quelques instants de bonheur.
Il compte tous ses pas, le surveille sans cesse, l'enveloppe de
sa présence écrasante. Seul le Ps **139** réussit à rendre aussi
sensible cette emprise de Dieu sur l'existence humaine, mais
pour renforcer ses motifs de confiance. L'auteur de Job est

plus tourmenté. Dans sa soumission loyale à la vérité, il s'est enfoncé si avant dans le mystère, qu'il est incapable d'en sortir par les seules lumières de sa raison et avec celles de la Révélation ancienne. Le voile des rétributions d'outre-tombe n'est pas soulevé pour lui : seule, pourtant, cette perspective permet de rejoindre les intentions foncières du Créateur, ses desseins de bonté à l'égard de l'homme et de donner un sens à la vie déconcertante de celui-ci. Job peine magnifiquement pour garder le contact vivant avec un Dieu qu'il persiste à croire fidèle et bon. Dans un dépouillement progressif, nous le voyons renoncer pratiquement à tout le reste, accepter la souffrance physique, la mort même, pourvu que Dieu apparaisse à ses côtés comme son défenseur et son ami (19 25-27). Il n'y parvient pas à force de raisonnements, mais par l'intensité même du sentiment religieux qui le soulève. Et le poème aboutit ainsi à une solution religieuse, non moins étonnante pour nous : l'homme doit se soumettre à Dieu dans la confiance, persister dans sa foi alors que son esprit ne reçoit pas d'apaisement.

Le livre de Job et nous chrétiens. Comme les autres livres de l'Ancienne Alliance, celui de Job a été adopté par l'Église du Christ. Il est cité par saint Paul comme texte d'Écriture (1 Co 3, 19) et saint Jacques, dans son épître, rappelle aux fidèles l'exemple de patience donné jadis par Job. « Vous avez entendu parler de la constance de Job et vous avez vu le dessein du Seigneur; car le Seigneur est miséricordieux et compatissant » (5 11). Les Pères de l'Église le célèbrent à l'envi comme un modèle de piété, de constance dans les tentations et les épreuves; moins souvent et plus tardivement comme une figure lointaine du Christ. D'après divers témoignages, nous voyons qu'ils se sont attardés volontiers à exposer et à commenter ce livre si attirant. Pour quels motifs a-t-il toujours exercé tant de séduction sur les âmes chrétiennes ? En dehors de sa perfection littéraire incontestable, il y a tout d'abord sa vérité humaine. Elle éclate partout dans les discours de Job. L'auteur a su y faire passer le rythme passionné, tour à tour plaintif, violent, angoissé, d'un être humain ballotté par la souffrance. Chacun, à l'heure de l'épreuve, se retrouve dans celui qui l'a connue et surmontée religieusement. Tous les maux inhérents à la condition humaine, les multiples injustices d'ici-bas qui en appellent à la justice de Dieu, y sont mis en pleine lumière, dans un écrit qui doit raviver dans les cœurs la confiance en Dieu. Car ce livre a toujours été lu comme un tout. Si l'esprit, à certains moments, se trouve déconcerté par le mystère de Dieu, il y gagne d'être soulevé vers les hauteurs; puis son effroi s'apaise lorsqu'il rencontre, à la fin, le visage du Dieu juste et bon qui récompense Job magnifiquement. L'épilogue, sous sa forme naïve, rappelle à l'homme que Dieu, dans sa Providence, se montre toujours fidèle et bienfaisant. On aurait tort de croire que les discours des amis de Job, dans le Dialogue, ne représentent en aucune manière les idées de l'auteur. Il postule comme eux la justice en Dieu; il pense que l'ordre des choses ici-bas doit la refléter en quelque manière et nous savons qu'une loi morale domine le réel et ne se sépare pas de l'ordre providentiel. Mais il pressent que cette loi doit rester quelque chose de mystérieux pour l'homme; que la justice en Dieu s'inspire d'une Sagesse insondable, garde un caractère de spontanéité, de liberté que, nous chrétiens, nous appelons l'amour.

Le livre de Job doit être lu avec sympathie et compréhension; et aussi dans la perspective historique de la révélation ancienne. Il faut savoir interpréter les tirades violentes de Job, où il prend Dieu à partie, semble céder au doute et à la révolte. Accablé par la souffrance, il n'est pas dans un état normal et il reconnaît lui-même que ses propos sont excessifs (6 3, 26; 19 4; 21 4). S'il explicite ces sentiments troubles qui sollicitent toute âme éprouvée, c'est qu'il est un oriental, peu habitué à refouler les premières impressions; un homme de l'Ancien Testament, qui ne partageait pas encore toutes nos délicatesses en face d'un Dieu dont la bonté est mieux connue, les exigences morales plus intérieures. Mais il est convaincu d'avoir gardé sa fidélité de fond à Dieu (**6** 10). Il n'étale pas ses griefs contre Dieu pour le renier ou pour le fuir, mais pour retrouver son vrai visage. Job reste un homme passionnément attaché à Dieu. Mais il est enfermé dans une révélation encore imparfaite. Il attribue directement à Dieu tous les maux qui l'accablent, il y voit une marque d'hostilité : en conséquence, il lui arrive de se retourner instinctivement vers Dieu comme vers un ennemi. Il ignore apparemment les rétributions d'outre-tombe, la résurrection des corps et l'immortalité bienheureuse. A la lumière de celles-ci, les hommes apprendront que l'espérance des justes opprimés et anéantis est « pleine d'immortalité » (Sg **3** 4), que « les souffrances du temps présent sont sans proportion avec la gloire à venir » (Rm **8** 18). Job n'a pas pris conscience non plus de tous les ravages du péché dans l'humanité : ses protestations d'innocence peuvent choquer l'humilité chrétienne, mais les hommes n'ont su clairement qu'ils étaient tous sous le péché qu'en apprenant en même temps leur rédemption. Job ne connaît pas encore, bien qu'il la préfigure par certains traits, l'image du Crucifié. Depuis, la souffrance est devenue un instrument de prédilection entre les mains de Dieu, pour épanouir les âmes à la vie surnaturelle; une invitation continuelle à compléter ce qui manque à la Passion du Christ pour son Corps qui est l'Église (Col **1** 24). La Révélation contenue dans la Bible progresse non seulement lorsqu'elle élève l'homme sur des pics lumineux, mais aussi lorsqu'elle l'enfonce dans des vallées sombres qui sont un appel vers des lumières nouvelles. Celle où chemine Job se creuse comme un gouffre que Dieu seul pourra combler en manifestant son Fils au monde.

Enfin, même sous le régime de la Révélation chrétienne, la foi a toujours son rôle à jouer. L'espérance dans les rétributions de l'au-delà en procède. Le cours des choses humaines n'a pas changé dans sa réalité objective depuis le Christ : l'adversité, la souffrance, la mort continuent de peser sur l'humanité. Dieu frappe et accable parfois de telle façon que les traits du Père des Cieux se voilent, et de pauvres humains

désemparés n'ont plus d'autre appui que la soumission aveugle
et confiante de Job. Dans la vie intérieure des âmes, il est aussi
de ces épreuves, de ces crises qui rejoignent les peines les plus
douloureuses de Job. Les grands spirituels l'ont compris
d'instinct. Dans *La Nuit obscure de l'âme* et ailleurs, saint Jean
de la Croix reprend fréquemment les plaintes de Job pour
caractériser ces états « où il semble à l'âme que Dieu s'élève
contre elle et qu'elle s'élève contre Lui »; « où l'entendement
est dans les ténèbres, la volonté dans les sécheresses, le cœur
dans l'amertume, l'abattement et la plus extrême affliction ».
Ces âmes que Dieu appelle à une plus grande perfection affer-
miront leur paix en relisant ce livre sacré sous la conduite de
l'Esprit qui l'a inspiré. « Car tout ce qui a été écrit l'a été pour
notre instruction afin que la constance et la consolation que
donnent les Écritures nous procurent l'espérance » (Rm **15** 4).

Texte et versions. Le texte du livre de Job
ne nous a été conservé que
d'une manière imparfaite par
la tradition manuscrite. Un bon nombre de mots, de sections
mêmes, sont manifestement corrompus. Le fait s'explique
sans doute par la fréquence des mots rares, qu'il faut interpréter par les racines sémitiques voisines, et par l'embarras des
scribes à suivre une argumentation parfois subtile. Il en résulte
que la critique conjecturale doit intervenir assez souvent. La
traduction grecque de la Septante ne fournit à celle-ci qu'un
appui assez fragile. Le traducteur a abrégé fréquemment le
texte, s'est mépris sur le sens de mots difficiles, ou a traduit
librement pour des raisons d'ordre littéraire ou théologique.
La Vulgate, au témoignage de saint Jérôme, est une traduction
directe sur l'hébreu, c'est-à-dire sur le texte qui circulait à la
fin du IVe siècle de notre ère. Elle fut l'objet d'un soin particulier et se signale par le rythme et la beauté de la langue. Mais
saint Jérôme avoue s'être trouvé en face de difficultés multiples et avoir traduit « tantôt littéralement, tantôt d'après le
sens ». Il fut assisté par un rabbin de Lydda qui lui fit accepter,
semble-t-il, certaines traditions exégétiques rabbiniques. Enfin

il ne put se défendre entièrement contre les réminiscences de la Septante hexaplaire, qu'il avait précisément traduite en latin peu auparavant. Pour toutes ces raisons, la Vulgate ne peut être utilisée sans discernement, mais elle reste un instrument précieux pour la critique textuelle du livre de Job.

Nous avons utilisé un bon nombre des ouvrages consacrés à l'exégèse du livre de Job, en particulier les principaux commentaires catholiques et protestants. Signalons la Bible du Centenaire et les commentaires de PETERS, de KISSANE et de DHORME. Ce dernier reste l'ouvrage fondamental en langue française et nous lui devons beaucoup.

APPENDICE 1

Le grand acte de foi de Job : 19 25-27.

Ce texte obscur et mal assuré, traduit différemment par les versions (voir les notes critiques) a été l'objet d'interprétations multiples. On peut les répartir en deux groupes principaux : ou bien Job compte sur une intervention de Dieu avant sa mort, ou bien il l'espère après sa mort.

1) D'après un bon nombre de critiques anciens et modernes, Job parlerait de la restauration de son bonheur et du retour des faveurs divines durant sa vie d'ici-bas. Les arguments qu'on fait valoir sont les suivants. La théophanie finale, où Dieu intervient pour défendre Job, doit être la réponse à l'acte de foi de celui-ci. On relève certains textes où Job semble bien compter encore sur sa guérison (29 2 s; 31 3 s), sur le triomphe visible de sa cause (13 15-16; 23 2-10). Dans son serment d'innocence, il s'engage à subir des peines sévères et même la mort, si sa culpabilité est prouvée (31) : c'est donc qu'il ne considère pas la mort comme une réalité inéluctable. Du reste celle-ci est pour lui l'anéantissement de l'espoir de l'homme, il n'y a pas de retour possible du Shéol. Si Dieu intervient en sa faveur, ce doit être avant qu'il soit trop tard. Dans la suite du Dialogue, Job, pas plus que ses amis du reste, ne fait état d'une rétribution par delà la mort. La justice divine doit s'exercer ici-bas, répète Çophar; on en cherche vainement les signes visibles, continue d'affirmer Job (21 7-34).

On présente parfois la même interprétation sous une forme atténuée, qui supprime certaines difficultés. Job serait vraiment résigné à la mort mais non à la perte de son honneur. Il s'attendrait seulement à voir éclater son droit avant que ses jours ne touchent à leur fin. Mais les objections principales subsistent. Elles sont multiples et sérieuses. Ni les discours de Yahvé, ni l'Épilogue du livre ne sont la réponse précise à l'intervention divine que Job entrevoyait comme certaine. Il comptait sur une manifestation en sa faveur en style juridique : Dieu le confond comme Créateur et Maître absolu. Tout au long du Dialogue, lorsque Job souhaite que Dieu comparaisse et lui rende justice, il repousse aussitôt cette vaine aspiration comme illusoire (cf. spécialement **23** 2 s); son apologie finale se termine par une sorte de défi à Dieu (**31** 35). Il persiste à croire que son sort est décidé sans appel, par un décret arbitraire de Dieu (**23** 13-17), que sa souffrance est sans remède et l'achemine vers la mort (**30** 23). Le ch. **30** contient la plainte élégiaque d'un désespéré, évoquant avec tristesse son bonheur d'antan pour lui comparer son sort actuel. Dans sa proclamation d'innocence, Job emploie spontanément les formules reçues, les imprécations d'usage; il appelle sur lui tous les fléaux que la colère divine était censée envoyer sur les parjures. Enfin, une objection qui nous paraît encore plus décisive, c'est le contexte immédiat des trois versets examinés. Frappé irrémédiablement par Dieu (**19** 21), désespérant de fléchir ses amis et de les convaincre (22), Job souhaite que sa justification soit gravée sur le roc (23-24). Cela doit signifier qu'abandonné de tous et condamné par tous, il voudrait laisser à la postérité un témoignage de son innocence, écrit sous une forme qui résiste au temps. Puis il passe de cette idée d'une justification lapidaire à celle d'un Défenseur vivant qui le vengera mieux encore... après sa mort.

2) L'exégèse ancienne des Pères de l'Église jusqu'à saint Jérôme s'appuie sur la version grecque (ou sur l'Ancienne Latine qui en est la traduction). Plusieurs Pères allèguent ce passage de Job dans un contexte où ils parlent clairement de la résurrection corporelle. Mais on ne peut déterminer toujours s'ils entendent le texte au sens littéral strict ou plénier, ou bien au sens spirituel. La présence au v. 26 (cf. note critique) du verbe grec qui signifie habituellement « ressusciter » dans le langage chrétien, mais qui peut garder aussi son sens de « restaurer », contribua peut-être à le faire citer en compagnie de textes qui annonçaient ce dogme en termes clairs ou figurés. Ainsi saint Clément de Rome le cite à côté de Ps **3** 6,

Origène avec Is **52** 10, saint Cyrille de Jérusalem à la suite de Jb **14** 7-10 (cf. aussi saint Ambroise). Par contre, ni saint Justin, ni saint Irénée, ni Tertullien ne l'allèguent lorsqu'ils traitent explicitement de la résurrection. Saint Jean Chrysostome déclare à plusieurs reprises que, dans ce passage, Job ne parle pas de résurrection, mais de sa guérison; une fois seulement il laisse le choix libre entre les deux interprétations, tout en maintenant personnellement son opinion. Saint Jérôme est plus affirmatif et plus formel : « Job prophétise ici la résurrection des corps de telle sorte que nul n'a écrit sur ce sujet d'une façon aussi nette et aussi certaine. » Son exégèse s'est fixée dans la Vulgate et a dominé longtemps l'interprétation chrétienne. Mais le recours au texte hébreu a fait prendre conscience des difficultés qu'il comporte. Dans le contexte général du livre de Job, une telle croyance ferait la lumière décisive sur les problèmes qui y sont agités et rendrait vaine toute discussion ultérieure. Elle reporte le jugement dans l'au-delà et justifie, en raison des compensations futures et définitives, la violence momentanée que l'homme peut subir dans sa chair. Si l'on prétend que Job, dans un éclair de foi, s'est élevé jusqu'à ce dogme, on ne comprend pas que la discussion continue sur le même plan, dans la même perspective qu'auparavant. Ce sont les mêmes plaintes amères que formulent les lèvres de Job et son apologie finale ne connaît que les peines d'ici-bas. Ses trois amis n'ont pas compris qu'il parlait de résurrection : après qu'ils ont été menacés du jugement de Dieu (**19** 29), Çophar repart de plus belle pour menacer Job de ce même jugement sur cette terre (**20**) et Éliphaz maintient qu'il est avantageux de servir Dieu en ce monde (**22**).

Pour écarter ces difficultés tout en maintenant qu'il s'agit bien d'une justification après la mort, on a proposé, ces dernières années, l'explication suivante. Job verra Dieu surgir pour sa défense et le venger alors qu'il sera dans la condition d'un être désincarné. On rappelle que les ombres du Shéol gardaient une certaine conscience; que, d'après les croyances populaires, elles étaient censées pouvoir hanter leurs tombes et remonter momentanément sur la terre. La scène décrite dans 1 S **28** 3-20 illustre une telle opinion de même que certains textes de la Loi condamnent ceux qui évoquent les Ombres. On allègue aussi un texte du *Livre des Jubilés,* apocryphe du IIe siècle avant notre ère, qui montre les esprits des justes assistant au châtiment de leurs ennemis : « Leurs os reposeront dans la terre, mais leur esprit aura beaucoup de joie; ils reconnaîtront que c'est Dieu qui tient jugement mais exerce sa grâce envers des centaines et des milliers, et même envers tous ceux qui l'aiment » (Jub. **23** 31).

Néanmoins, on peut se demander si ces parallèles sont éclairants. L'idée d'esprits qui hantent la tombe est étrangère à la pensée commune de l'Ancien Testament. D'autre part, la percée vers une eschatologie transcendante s'est faite plutôt dans la ligne d'une résurrection corporelle. C'est-à-dire que le texte des *Jubilés* allégué doit dériver d'une eschatologie évoluée, où se mêlent diverses influences.

Dans un essai de conciliation de toutes les données du problème et en accord avec la traduction adoptée, nous proposons l'opinion suivante. Job compte sur une intervention miraculeuse de Dieu, pour une sorte de résurrection momentanée. Il s'agit d'un fait postulé obscurément par sa foi vivante en un Dieu de justice. Dans la perspective de sa mort prochaine, il croit que Dieu reconnaîtra quand même son innocence, le justifiera finalement devant ceux qui le tiennent pour coupable. Dans cette tension concrète de sa foi, il s'accroche à l'idée d'un Dieu Vengeur, qui jouera à son égard le rôle du vengeur du sang (cf. **19** 25 rapproché de **16** 18) et sera en même temps son Défenseur suprême (cf. **19** 25, note explicative). Mais cette justification n'aurait aucune portée réelle pour Job, s'il ne la voyait pas. Aussi le texte, par une transition spontanée, nous le montre comme spectateur (**19** 26). Son Défenseur le redresse et le place près de Lui. Et comme il n'est autre que Dieu lui-même, Job, n'étant plus soumis aux conditions de la vie présente (cf. note sur Ex **3** 6), verra Dieu de son corps; « car il serait seul à penser qu'on peut voir Dieu dans les conditions normales de la vie » (LAGRANGE, *Judaïsme*[3], p. 352). Son corps, — ou plutôt son squelette, — reprendra vie momentanément par la vertu du Dieu tout-puissant capable de réveiller les morts (cf. 1 R **17**; Ez **37**) et de « faire remonter du shéol » (1 S 2 6, en prenant l'expression à la lettre, bien que la portée soit différente). Mais le fait suppose que la personnalité consciente de Job subsistera d'une certaine manière. Or les premiers mots du v. 26, d'après la traduction proposée, y feraient allusion : que Job soit représenté comme « veillant » dans l'attente de sa justification, au lieu de s'abandonner à son sort comme le reste des trépassés, ou qu'il soit figuré comme « s'éveillant », sortant alors du sommeil du shéol. Cette interprétation a comme point d'appui **14** 10-14, où Job, aux abois, se torture l'esprit pour échapper aux limites imposées par la mort; où il affirme d'abord l'impossibilité de « s'éveiller » du sommeil de la mort (v. 12); où il imagine la possibilité d'un séjour au shéol et où il veillerait, dans l'attente (vv. 13-14 et la note explicative). Convaincu, maintenant, que le temps de la colère divine durera jusqu'à sa mort, il dépasserait, dans un un élan de foi éperdue, ce qu'il avait d'abord considéré comme impossible. Ce retour passager à la vie corporelle ne serait pas suivi d'une soustraction définitive à la condition du shéol, mais Job, après avoir « vu » son Vengeur, pourra s'endormir en paix (cf. **3** 13). On s'explique ainsi que Job, après s'être haussé jusqu'à cette certitude, continue de ressentir douloureusement sa condition tragique : la justification finale qu'il espère, et qui lui est infiniment précieuse, ne lui rendra pourtant ni la vie, ni le bonheur. Si son besoin de justice est satisfait, son appétit de bonheur (**17** 15; **21** 25) ne sera jamais comblé. D'autre part, l'intervention divine qu'il escompte n'est qu'une exception à l'ordre normal de la Providence : aussi, dans la suite du Dialogue, les trois amis reviennent à la théorie des rétributions terrestres tandis que Job continue d'en souligner l'insuffisance (cf. *supra*). Il est naturel, enfin, que la solution entrevue dans un éclair de foi disparaisse à l'arrière-plan, une fois retombée la tension qui l'a suscitée. Une telle solution perd le contact avec les réalités normales; elle garde aussi quelque chose d'hypothétique dans la trame même de l'histoire ancienne de Job. Elle résout, d'une façon extraordinaire, un cas désespéré où Job a été amené à s'enfermer sans issue. Elle dépend entièrement d'une libre initiative de Dieu. En fait, Dieu répond à Job d'une autre manière, plus conforme aux conceptions israélites de l'époque : il se manifeste seulement « au sein de la tempête » (**38** 1), mais Job obtient dès ici-bas la justification qu'il attendait et son bonheur terrestre lui est rendu. L'auteur du livre devait rejoindre le canevas de l'histoire populaire, et les Discours de Dieu (**38-41**) ménagent en fait la transition au dénouement de celle-ci. Mais il n'y a pas lieu, pour autant, de réduire tout le pathétique de **19** 25-27 à cette solution moins anormale. Job, dans son élan de foi, semble bien avoir pressenti autre chose, franchi ces bornes de l'existence humaine qui ne cessent de l'obséder, et conféré un certain poids de réalité à l'idée d'une résurrection corporelle, évoquée déjà comme une possibilité avant l'époque de la composition du livre. (Cf. *Lumière et Vie*, 3, pp. 11-34, « La doctrine de la résurrection dans l'A. T. », éclairant l'opinion maintenant adoptée.)

APPENDICE II

Résumé analytique du Livre de Job.

I. *PROLOGUE*

1-2. *Satan met Job à l'épreuve.*

Ce récit en prose nous conduit alternativement sur la terre et au ciel. Job, homme intègre et pieux, mène, comme les Patriarches, une vie heureuse (**1** 1-5). Satan au cours des audiences coutumières accordées aux fils d'Élohim, met en doute son désintéressement et obtient à deux reprises (**1** 6-12; **2** 1-7) la permission de le mettre à l'épreuve; la première fois, dans ses biens et ses enfants (**1** 13-19), la seconde dans son corps (**2** 7-8). Job sort victorieux de cette double épreuve en se soumettant à la volonté divine (**1** 20-22; **2** 9-10). En consé-quence, Satan devrait s'avouer vaincu et Job être rendu à sa félicité première. Mais la visite concertée de ses trois amis (**2** 11-13) va, en amorçant un long Dialogue, mettre la patience de Job à plus rude épreuve.

II. *DIALOGUE*

I. Premier cycle de discours (**3-14**).

3. *Job maudit le jour de sa naissance.*

La discussion s'engage, non par l'exposé d'une thèse, mais par la plainte de Job. Il maudit le jour de sa naissance (2-10), et ne voit plus le sens de sa vie (11-19), ni de celle de tous les malheureux (20-23). Il revient enfin à son propre cas (24-26).

4-5. *Éliphaz : Confiance en Dieu dans la maîtrise de soi et l'humilité.*

Éliphaz, le plus âgé des trois amis, fort de sa science et de son expérience, répond indirectement aux « pourquoi » de Job en justifiant les voies de Dieu au nom de la doctrine tradi-tionnelle. Job doit rester fidèle dans l'épreuve à ses convictions d'autrefois (**4** 2-6) dont les principes sont toujours vrais (7-11) : s'il est juste, il ne saurait redouter de finir comme les injustes.

Éliphaz appuie cette doctrine sur une révélation privée (12-21). Job doit cesser de s'obstiner contre Dieu, se rendant ainsi l'auteur de sa ruine (5 1-7), mais se tourner vers Dieu qui délivre de toute épreuve (8-16) et n'afflige ses fidèles que pour les corriger et les restaurer promptement (17-27).

6-7. *Job : L'homme accablé connaît seul sa misère.*

A l'exposé général d'Éliphaz, Job oppose sa souffrance incommunicable. Le mal est implanté dans sa chair et ne le laisse pas mesurer ses paroles (6 2-7). Non, ce n'est pas une correction temporaire, mais un mal irrémédiable, sans autre espoir qu'une fin rapide (8-13). Non, Job n'accepte pas d'être condamné par ses amis comme coupable, il attendait leur compassion et persiste à se croire innocent (14-30). Non, Dieu n'est pas pour l'homme ce qu'on dit. Il lui fait une vie dure, sans autre issue que le shéol (7 1-10). Qu'est donc Dieu pour l'homme ? Job, à son tour, pose la question avec violence (11-22) : pourquoi Dieu le poursuit-il au lieu de pardonner ?

8. *Bildad : Le cours nécessaire de la justice divine.*

Bildad répond directement à la dernière question de Job, indirectement à l'insinuation que la condition de l'homme est injuste : Dieu ne peut fléchir le droit (2-3). Les enfants de Job ont payé pour leurs fautes (4). Job lui-même sera rétabli, s'il est juste comme il le prétend (5-7). Bildad ne se compromet pas en ajoutant foi à la justification de Job, mais se retranche derrière la doctrine des Sages (8-10) sur le sort des impies, qu'il expose en sentences imagées (11-19).

9-10. *Job : La justice divine est celle d'un Être qui domine le droit.*

Job réfute Bildad en adoptant sa thèse, mais pour la pousser à l'absolu : Dieu est toujours juste, non parce qu'il ne peut « fléchir le droit », mais parce qu'il a toujours raison (9 2). En face de cette liberté absolue de la justice divine (2-13), Job perd tout appui rationnel. Il ne peut ni défendre sa cause dans les formes (14-19), ni faire état de son innocence; rien ne l'assure que Dieu la juge telle, et d'ailleurs ses châtiments ne distinguent pas innocents et coupables (20-24). Aucune paix donc pour ce qui reste de vie à Job (25-26) : innocent, rien n'écarte la colère de Dieu (27-28); coupable, aucune purification n'est efficace (29-31). Pas de justice impartiale ni d'arbitre (32-34).

Pourtant Job ne se résigne pas, et il garde le souvenir de

la sagesse et de la bienveillance divines. Sous la pression de ses sentiments contradictoires, il interpelle Dieu, lui demande raison de son attitude (**10** 2-7), lui rappelle avec quel soin Il l'a formé (8-12); mais, dans cette sollicitude divine, Job retrouve « l'arrière-pensée » hostile, le visage de l' « adversaire » (13-19). Il ne peut espérer et demander qu'un peu de répit avant une prompte mort.

11. *Çophar : La sagesse de Dieu appelle l'aveu de Job.*

Çophar n'a vu que verbiage dans les discours de Job. Il n'en retient que la protestation d'innocence (2-4). Mais Dieu doit en juger autrement, car sa Sagesse infinie discerne l'iniquité partout où elle se cache (5-11). Job doit donc changer d'attitude, et, reconnaissant une faute cachée (6, 14, 20), appeler le pardon par la supplication (13-20).

12-14. *Job : La Sagesse de Dieu se manifeste surtout à travers les ravages de sa Puissance.*

Job répond avec une ironie mordante. Il se moque de la sagesse qu'on prétend lui enseigner (**12** 2-3), sagesse sans pitié et aveugle à ce que savent même les bêtes (4-10), sagesse humaine trop sûre d'elle-même (11-12). C'est Dieu qui possède la sagesse, mais il la manifeste surtout par des œuvres de destruction, déroutant ainsi la sagesse humaine et son optimisme (13-25). Ses tenants n'apportent à Job que lieux communs et remèdes illusoires (**13** 1-5); bien plus, prenant au mépris des faits le parti de Dieu, leur partialité indiscrète offense Dieu lui-même (6-12). Job se tourne alors vers Dieu. Imaginant un débat juridique, il lui demande de justifier sa rigueur contre un innocent déjà perdu (13-28). De créatures comme Job, soumises à la loi de la mort qui leur interdit tout espoir de bonheur, Dieu n'a rien à craindre. Il devrait se montrer magnanime, se rappelant qu'après leur mort il ne pourra plus rien pour elles (**14** 1-22).

II. SECOND CYCLE DE DISCOURS (**15-21**).

15. *Éliphaz : Job se condamne par son langage et doit réfléchir au sort de l'impie.*

Job a parlé non comme un sage, mais comme un écervelé (2-3) et un impie (4), révélant ainsi sa culpabilité (5-6). A ses vaines prétentions à une sagesse éminente (7-8), Éliphaz oppose l'autorité de la tradition (9-11 et 17-19); à sa colère contre Dieu, le rappel que l'homme est corrompu (12-16). Suit un nouvel exposé de la doctrine traditionnelle (17-19) dans la peinture du sort tragique réservé au violent et au tyran (20-35).

16-17. *Job : De l'injustice des hommes à la justice de Dieu.*

Job sait maintenant qu'il ne peut plus attendre de ses amis que des banalités (**16** 2-5) qui ne rencontrent pas l'expérience de sa misère (6), et il dénonce leur méchanceté (7-11), qui lui rend plus douloureuse l'attaque que Dieu lui fait subir (12-16). Pourtant, il est sans reproche, et sa prière est pure (17). D'où un sursaut de confiance : cette prière ira près de Dieu et sera devant lui son témoin (18-21), seul espoir qui lui reste avant la mort prochaine (22). La pensée de la mort lui arrache une nouvelle plainte, contre la fausse sagesse de ceux qui le condamnent (**17** 1-10) ou les espoirs illusoires qu'ils lui proposent (11-16). Plainte traversée de nouveau (3) d'un éclair de confiance en Dieu qu'il veut croire fidèle. Note nouvelle dans les discours de Job, encore timide et qui ira en s'accentuant dans le discours suivant.

18. *Bildad : Une vaine colère ne saurait changer la loi des choses ; le méchant court à sa ruine.*

Bildad reproche à Job sa sotte colère qui voudrait changer l'ordre des choses (2-4). Il va en effet, en contrepartie, durcir la conception traditionnelle de la justice divine en une loi rigoureuse et sans exception de justice immanente (5-21); le méchant se précipite lui-même dans le piège, au-devant des fléaux qui l'assaillent et consomment sa ruine.

19. *Job : Le triomphe de la foi dans l'abandon de Dieu et des hommes.*

Ce discours marque le point culminant du procès que les amis de Job ont ouvert contre lui. Il maintient sa protestation (2-3); même si des excès de parole ont pu lui échapper (4), telle n'est pas la cause de son malheur, mais c'est Dieu lui-même qui l'opprime et le traite en ennemi (6-12). A l'hostilité de Dieu suit l'abandon de tous (13-19). Le corps détruit, il réclame la pitié de ses amis, « car c'est la main de Dieu qui l'a frappé » (20-22). Mais eux aussi s'acharnent contre lui; disparaîtra-t-il donc sans que son honneur soit vengé ? Il songe au témoignage de ses paroles gravées dans le roc pour toujours (23-24), puis se tourne vers un témoignage vivant : son Défenseur se dressera le dernier sur la terre pour venger sa cause (25-27) et confondre ceux qui l'accusent (28-29). Ainsi, voyant lucidement en Dieu l'auteur de ses maux, il ne peut croire à la démission de sa Justice et invoque encore sa Fidélité.

20. *Çophar : Le jugement de Dieu se traduit dans les faits et ne souffre pas d'exception.*

Çophar retourne contre Job sa dernière menace (2-3). Car les faits parlent d'eux-mêmes et le jugement s'exerce déjà contre Job. Selon une loi sans exception (4), le châtiment de l'impie est foudroyant, et sa ruine irrémédiable (5-28). Ainsi, pas de brèche dans la loi des rétributions et pas d'espoir pour Job d'une intervention divine en sa faveur au-delà de la mort.

21. *Job : Le démenti des faits.*

Après un préambule impatient (2-6), Job prend brutalement la contrepartie du discours de Çophar. L'impie vieillit et meurt en paix (7-13). Il insiste; il s'agit bien d'impies notoires (14-16); telles déclarations de ses amis (17-18) et telles explications sur le châtiment différé (19-22) sont absurdes et controuvées par les faits. On n'enferme pas dans cette fausse sagesse les voies de Dieu. La mort frappe au hasard et sans critère moral (23-26). A l'objection tacite que son propre cas est un exemple de la justice de Dieu (27-28), Job oppose le spectacle constant de la mort honorée de l'impie (29-33). Les avis de ses amis sont vains (34).

III. Troisième cycle de discours (22-27).

22. *Éliphaz : Dieu est impassible. S'il châtie Job, ce ne peut être qu'au nom de la justice.*

Éliphaz ne répond pas à l'objection de Job, mais le ramène à son propre cas, en raisonnant ainsi : Dieu ne tire nul avantage de la vertu de l'homme; s'il intervient, c'est pour sanctionner le mal; s'il châtie Job, ce ne peut être que pour ses péchés (2-5). Éliphaz énumère donc toutes les fautes que Job a pu ou dû commettre (6-20) et l'exhorte au repentir (21-30).

23 1-24 17 et **24** 25. *Job : Dieu est loin, et le mal triomphe.*

Job, indifférent à la piété chaleureuse d'Éliphaz, ne sent que l'amertume de son sort (**23** 2). Impossible de s'expliquer, car Dieu est inaccessible (3-9), et pourtant Job prouverait son innocence à celui qui le connaît (10-12). Mais le décret de Dieu est immuable et cela ruine la confiance de Job (13-17); Dieu laisse aller le cours des choses (24 1), indifférent aux exactions des impies (2-3), à l'oppression et à la misère des pauvres (4-12). D'autres hommes haïssent la lumière (13-17). Job ne craint aucun démenti (25).

25 et 26 5-14. *Bildad : Hymne à la Toute-Puissance de Dieu.*

Pour protester contre l'accusation tacite d'impuissance portée par Job contre Dieu, Bildad fait l'éloge de la Toute-Puissance. Elle s'exerce dans les cieux (**25** 1-6), au shéol et dans l'abîme (**26** 5-6) et dans toute l'étendue du cosmos (7-14).

26 1-4 et **27** 1-12. *Job, innocent, connaît la Puissance de Dieu.*

Après une réplique ironique aux banalités de Bildad (**26** 1-4), Job réaffirme solennellement son innocence (**27** 1-6) et voue ses ennemis au sort de l'impie (7-10). Lui sait jusqu'où va la puissance de Dieu (11-12).

27 13-23 et **24** 18-24. *Çophar : le maudit.*

Ces deux fragments, qu'on peut attribuer à Çophar, reprennent le thème du châtiment de l'impie. Son sort est celui du proscrit (il n'est donc pas vrai, comme l'assurait Job, qu'il jouisse jusqu'au tombeau de la considération générale) : il assiste à la mort violente de ses fils (**27** 14-15), perd d'un seul coup sa fortune (16-19), vit fugitif et maudit de tous (20-23); la malédiction s'attache à son domaine (**24** 18-19), son nom même disparaît (20), une mort prématurée l'attend (22-24).

IV. ÉLOGE DE LA SAGESSE (**28**).

28. *La Sagesse inaccessible à l'homme.*

Cet intermède fait l'éloge de la Sagesse, en trois sections séparées par la même interrogation (12, 20). Les investigations de l'homme ne lui découvrent pas le chemin de la Sagesse (1-11). Elle ne se trouve pas sur le marché des pierres précieuses (15-19). Elle n'habite nulle part dans l'univers, et n'est accessible qu'à Dieu (21-27). Pour l'homme, pas d'autre « sagesse » que la « crainte de Dieu » (28).

V. Conclusion du dialogue (29-31).

Plainte et apologie de Job.

29. *I. Les jours d'antan.*

Job évoque son bonheur perdu. Dieu veillait sur lui et sur son bonheur (2-6). Son autorité était respectée (7-10 et 21-25), sa bienfaisance reconnue (11-17), son avenir semblait assuré (18-20).

30. *II. La détresse présente.*

Job est maintenant en butte à ceux qui sont le rebut de la société (1-15), il souffre l'agonie dans son corps (16-17), et s'en prend de nouveau à Dieu (18-23). Il ne trouve toujours aucune raison morale à ce changement soudain (24-25) et ne sait que son état misérable (26-31).

31. *III. Apologie de Job.*

Appelant à la justice de Dieu (2-3, 6), Job détaille les fautes qu'il n'a pas commises : fautes secrètes de désir (1), fraudes (5), convoitise et vol (7-8), adultère (9-12), atteintes aux droits de ses serviteurs (13-15), des paysans ou des ouvriers (38-40), oubli des faibles et des pauvres (16-23), avarice et orgueil de la richesse (24-25), culte idolâtrique des astres (26-28), pensées de vengeance ou malédictions (29-30), refus de l'hospitalité (31-32). Job n'a jamais eu à redouter l'opinion (33-34) et, si Dieu consent enfin à comparaître, il peut se présenter devant lui avec la même fierté (35-37).

III. *LES DISCOURS D'ÉLIHU* (32-37).

32 1-6. *Intervention d'Élihu.*

L'intervention d'Élihu est justifiée par deux raisons : il faut blâmer Job d'avoir accusé Dieu d'injustice, et les trois amis d'avoir mal défendu la cause de Dieu.

32 6-22. *Exorde.*

Élihu, jeune, a laissé parler la sagesse des anciens (6-7). Mais cette sagesse s'est avérée impuissante, et il va lui opposer la vraie sagesse, une sagesse inspirée (8-20) et qui ignore la flatterie (21-22).

33. *Comment Job a eu tort de soutenir en face de Dieu son innocence.*

Élihu s'adresse d'abord à Job (2-7) : il s'est élevé contre Dieu, pour le provoquer à la discussion (8-11). Mais Dieu ne discute pas comme un homme (12-13). Il parle à l'homme à sa façon, soit par des visions d'avertissement (14-18), soit par la souffrance elle-même, qui doit amener l'homme à confesser ses fautes et à rentrer ainsi en faveur (19-30). Conclusion (31-33).

34. *Comment les trois Sages n'ont pas su disculper Dieu d'injustice.*

S'adressant aux trois amis (2-4), Élihu leur rappelle les propos de Job accusant pratiquement Dieu d'injustice (5-6), et manifestant ainsi sa propre impiété (7-9), propos auxquels ils n'ont pas su répondre. Or, il est impensable que Dieu viole la justice (10-12), étant seul responsable du monde qu'il a créé (13-15), tout-puissant (16-20) et omniscient (21-22). Mais sa justice souveraine s'exerce sans procédure juridique (23-26) et se tempère du droit de grâce en faveur du pécheur repentant (27-32). Ce que Job méconnaît (33-37).

35. *Dieu n'est pas indifférent aux affaires humaines.*

Relevant d'autres paroles de Job (2-4) qu'il qualifiera de stupides (16), Élihu concède que la vertu et le péché n'atteignent en rien Dieu (5-7), mais seulement les hommes (8-9). Mais Dieu, garant de l'ordre, attend que les opprimés fassent appel à lui (10-11). C'est leur manque de foi qui retarde l'intervention divine, non l'ignorance ou l'impuissance de Dieu (12-16).

36 1-21. *Le vrai sens des souffrances de Job.*

Après un préambule emphatique (2-4), Élihu montre à l'œuvre la justice de Dieu (5-7ᵃ) contre les pécheurs; elle châtie l'orgueil pour que les coupables se repentent et soient alors rétablis (7ᵇ-11), elle fait périr l'endurci (12-14). Job, lui, est appelé au repentir, pour les fautes qu'il a commises dans son abondance (15-21).

36 22-**37** 24. *Hymne à la Sagesse toute-puissante.*

L'investigation des voies de Dieu conduit Élihu à un éloge de la puissance et de la sagesse divines dans les œuvres de la nature (**36** 22-26) : brouillard et pluie (27-28), orage (**36** 29-33 et **37** 1-5), jeu des saisons (**37** 6-13), tous soumis au bon plaisir de Dieu (14-22). Doxologie (23-24).

IV. *LES DISCOURS DE YAHVÉ* (38 1-42 6).

38 1-40 5. *Premier discours : La Sagesse créatrice confond Job.*

A Job réclamant justice et questionnant sur les voies de la justice de Dieu, Dieu va refuser toute explication rationnelle. Il lui répond « du sein de la tempête » (38 1) et le confond par l'étalage de celles des œuvres de sa Sagesse qui dépassent ou déconcertent davantage la raison humaine. Job ignore tout de l'origine et de la structure de l'univers (38 4-11); de la lumière, de l'abîme, du shéol (12-21), de la neige et de la grêle, de l'orage et de la pluie, des cieux et des astres (22-38). Dieu, lui, qui « fait pleuvoir sur une terre sans hommes » (26), prend encore soin des bêtes, dont les mœurs les plus étranges reflètent une sagesse déconcertante (38 39-39 30). Qu'en pense « le censeur de Dieu » (40 1-2) ? Job comprend la leçon et confesse sa légèreté (40 3-5).

40 6-41 26. *Deuxième discours : Maîtrise de Dieu sur les forces du mal.*

Job a voulu casser le jugement de Dieu et le retourner contre les méchants (40 6-8). Mais dispose-t-il de la Toute-Puissance (9-14) ? Dieu lui montre alors les deux monstres animaux qui sont sous sa domination, échappant à celle de l'homme : l'hippopotame, Béhémoth (15-24), et le crocodile, Léviathan (40 25-41 26). Tous deux symboles de ces forces du mal dont le triomphe scandalisait Job.

42 1-6. *Dernière réponse de Job.*

Job s'incline devant la Toute-Puissance aux desseins mystérieux. Si ses questions sur la justice divine restent sans réponse, il a compris ce qu'est Dieu, comment ses voies dépassent l'intelligence, et appellent une humble foi.

V. *ÉPILOGUE* (42 7-17).

Le récit en prose reprend. Après avoir blâmé les trois Sages, qu'il confie à l'intercession de Job (7-9), Yahvé enfin restaure la fortune de Job (10-17).

LE LIVRE DE JOB

I

PROLOGUE[a]

Satan met Job à l'épreuve.

1. [1] Il y avait jadis, au pays de Uç[b], un homme appelé Job : un homme intègre et droit qui craignait Dieu et se gardait du mal. [2] Sept fils et trois filles lui étaient nés. [3] Il possédait aussi sept mille brebis, trois mille chameaux, cinq cents paires de bœufs et cinq cents ânesses[c], sans parler de très nombreux serviteurs. Cet homme était un personnage entre tous les fils de l'Orient[d]. [4] Ses fils avaient coutume d'aller festoyer chez l'un d'entre eux, à tour de rôle, et d'envoyer quérir leurs trois sœurs

---

a) Ce récit en prose garde intentionnellement le genre de l'histoire populaire : relation visuelle des audiences célestes comme des épisodes terrestres, recherche de l'effet, chiffres ronds et symboliques, détails humoristiques — qui n'excluent ni le sens religieux ni la grandeur.

b) Sur le pays de Job, cf. Introduction, pp. 7-8.

c) Job mène la vie semi-nomade des Patriarches. Cf. Gn **12** 16; **13** 2; **26** 14.

d) Ce terme désigne tous ceux qui habitaient à l'est de la Palestine, plus spécialement en pays édomite et arabe (cf. Gn **29** 1; Jg **6** 3; 1 R **5** 10).

pour manger et boire avec eux. ⁵ Or, une fois terminé le
cycle de ces festins*ᵃ*, Job les faisait venir pour les purifier*ᵇ* et, le lendemain, à l'aube, il offrait un holocauste
pour chacun d'eux. Car il se disait : « Peut-être mes fils
ont-ils péché et maudit Dieu dans leur cœur ! » Ainsi
faisait Job, chaque fois.

⁶ Un jour, comme les Fils de Dieu*ᶜ* venaient se présenter devant Yahvé, Satan aussi s'avançait parmi eux.
⁷ Yahvé dit alors à Satan : « D'où viens-tu ? » — « De
parcourir la terre, répondit-il, et de m'y promener. »
⁸ Et Yahvé reprit : « As-tu remarqué mon serviteur Job ?
Il n'a point son pareil sur la terre : un homme intègre et
droit, qui craint Dieu et se garde du mal ! » ⁹ Et Satan de
riposter : « Est-ce pour rien que Job craint Dieu ? ¹⁰ N'as-tu
pas dressé une haie devant lui, devant sa maison et son
domaine alentour ? Tu as béni toutes ses entreprises, ses

---

1 5. « *maudit* » *corr.*; « *béni* » H. *De même en* **1** 11 *et* 2 5, 9. *Le verbe original,*
« *maudire, blasphémer* », *a été ainsi remplacé pour éviter la présence d'un terme
péjoratif auprès du nom de Dieu.*

a) Festins périodiques et non pas banquets continuels comme dans
Lc **16** 19.
b) Litt. : « pour les sanctifier ». Ce verbe est employé lorsqu'il s'agit des
rites écartant les souillures qui rendent inapte à la vie cultuelle. Même
expression 1 S **16** 5.
c) Sur ces « Bené Élohim », cf. **38** 7 et Gn **6** 1-4; Ps **29** 2; **82** 1; **89** 7.
Il s'agit d'êtres supérieurs à l'homme, qui forment la cour de Yahvé et
son conseil (cf. 1 R **22** 19 s). On les identifie avec les anges et la Septante
traduit précisément par « les anges de Dieu ». Parmi eux s'avance le Satan,
c'est-à-dire « l'Adversaire ». Ce terme semble emprunté au langage juridique (cf. Ps **109** 6). Attesté Za **3** 1 et 1 Ch **21** 1, il désignera de plus en
plus un être foncièrement mauvais et finira par incarner la puissance du
mal (cf. Lc **10** 18). L'Adversaire, ici, fait songer à d'autres ébauches ou
figures de l'esprit du mal avec lesquelles il finira par se fondre, cf. Ap **12** 9;
20 2. Ici, Satan tente l'homme pour le pousser au mal, comme le serpent
de Gn **3**; s'il n'est pas délibérément hostile à Dieu, il doute de la réussite
de son œuvre dans la création de l'homme. Au-delà du Satan cynique, à
l'ironie froide et malveillante, se profile l'image d'un être pessimiste, qui
en veut à l'homme parce qu'il a des raisons de l'envier. Mais le texte ne
s'appesantit pas sur les raisons de son attitude.

troupeaux pullulent dans le pays. ¹¹ Mais étends la main
et touche à ses biens; je te jure qu'il te maudira en face ! »
— ¹² « Soit ! dit Yahvé à Satan, tous ses biens sont en
ton pouvoir. Évite seulement de porter la main sur lui. »
Et Satan sortit de l'audience de Yahvé.

¹³ Le jour où les fils et les filles de Job étaient en train
de manger et de boire du vin chez l'aîné *a*, ¹⁴ un messager
vint dire à Job : « Tes bœufs labouraient et les ânesses
paissaient à leurs côtés; ¹⁵ soudain les Sabéens *b* ont fondu
sur eux et les ont enlevés. Quant à tes serviteurs, ils les
ont passés au fil de l'épée. Moi seul, je me suis échappé
pour te l'annoncer. » ¹⁶ Il parlait encore quand un autre
survint et dit : « Le feu de Dieu *c* est tombé du ciel; il a
brûlé tes brebis et tes hommes et les a dévorés. Moi seul,
je me suis échappé pour te l'annoncer. » ¹⁷ Il parlait encore
quand un autre survint et dit : « Les Chaldéens *d*, divisés
en trois bandes, ont fait un raid contre tes chameaux et
ils les ont enlevés. Quant à tes serviteurs, ils les ont passés
au fil de l'épée. Moi seul, je me suis échappé pour te
l'annoncer. » ¹⁸ Il parlait encore quand un autre survint
et dit : « Tes fils et tes filles étaient en train de manger et de
boire du vin dans la maison de l'aîné. ¹⁹ Et voilà qu'un vent
violent a soufflé du désert. Il s'est rué contre les quatre coins
de la maison et celle-ci est tombée sur les jeunes gens, qui
ont péri. Moi seul, je me suis échappé pour te l'annoncer. »

---

a) Au début donc d'un nouveau cycle de festins; tous les fils de Job
ont été « sanctifiés ». Dans les catastrophes qui s'abattent sur lui, Job ne
pourra songer à un châtiment.

b) Il ne s'agit pas encore du royaume sabéen, mais de nomades pillards,
qui opèrent au nord de l'Arabie, mentionnés comme caravaniers célèbres
par **6** 19 et Is **60** 6. Cf. ɪ R **10**.

c) La foudre. Cf. 2 R **1** 10, 12, 14.

d) Ce sont encore des tribus nomades, les Chaldu des textes cunéiformes,
et non les Chaldéens qui fondèrent un royaume célèbre en Babylonie au
vɪɪ^e siècle.

²⁰ Alors Job se leva, déchira son vêtement, se rasa la tête*a*. Puis, tombant sur le sol, il se prosterna ²¹ et dit :

« Nu, je suis sorti du sein maternel,
nu, j'y retournerai*b*.
Yahvé avait donné, Yahvé a repris*c* :
que le nom de Yahvé soit béni ! »

²² En toute cette infortune, Job ne pécha point et ne se permit aucune impertinence contre Dieu.

2. ¹ Un autre jour, comme les Fils de Dieu venaient se présenter devant Yahvé, Satan aussi s'avançait parmi eux. ² Yahvé dit alors à Satan : « D'où viens-tu ? » — « De parcourir la terre, répondit-il, et de m'y promener. » ³ Et Yahvé reprit : « As-tu remarqué mon serviteur Job ? Il n'a point son pareil sur la terre : un homme intègre et droit, qui craint Dieu et se garde du mal ! Il persévère dans son intégrité et c'est bien en vain que tu m'as excité contre lui pour le perdre. » ⁴ Et Satan de riposter : « Peau pour peau*d* ! Tout ce que l'homme possède, il l'abandonne pour sauver sa vie ! ⁵ Mais étends la main, touche à ses os et à sa chair; je te jure qu'il te maudira en face ! » —

---

2 1. *Après « parmi eux », H ajoute « pour se présenter devant Yahvé », manquant en* **1** *6 et omis par G.*

---

a) Coutume souvent signalée dans la Bible (cf. Esd **9** 3-5; Jos **7** 6; Jr **7** 29; Est **14** 2).

b) Litt. : « je retournerai là ». Cf. Qo **5** 14. La terre mère semble assimilée au sein maternel. Cf. aussi Si **40** 1. Mais cette formule, façonnée peut-être par un usage ancien, ne fait pas allusion à un mythe quelconque. Elle se justifiait suffisamment aux yeux des Israélites par l'origine terrestre du premier homme (Gn **2** 7; **3** 19; Ps **139** 15) et aussi par le fait que la terre ensevelit tous les hommes dans son sein immense.

c) Cf. Si **11** 14.

d) Locution proverbiale qui semble empruntée à la langue des échanges commerciaux : « donnant, donnant ». On pourrait la gloser ainsi : « on troque une peau pour une peau », c'est-à-dire : un homme ne donne sa mesure que s'il est atteint dans son être physique et individuel.

⁶ « Soit ! dit Yahvé à Satan, dispose de lui, mais respecte pourtant sa vie. » ⁷ Et Satan sortit de l'audience de Yahvé.

Il affligea Job d'un ulcère malin*, depuis la plante des pieds jusqu'au sommet de la tête. ⁸ Job prit un tesson pour se gratter et il s'installa parmi les cendres*. ⁹ Alors sa femme lui dit : « Vas-tu encore persévérer dans ton intégrité ? Maudis donc Dieu et meurs* ! » ¹⁰ Job lui répondit : « Tu parles comme une folle. Si nous accueillons le bonheur comme un don de Dieu, comment ne pas accepter de même le malheur ! » En toute cette infortune, Job ne pécha point en paroles.

¹¹ La nouvelle de tous les maux qui avaient frappé Job parvint à ses trois amis. Ils partirent chacun de son pays, Éliphaz de Témân, Bildad de Shuah, Çophar de Naamat*. Ensemble, ils décidèrent d'aller le plaindre et le consoler. ¹² De loin, fixant les yeux sur lui, ils ne le reconnurent pas*. Alors ils éclatèrent en sanglots*. Chacun déchira son vêtement et jeta de la poussière sur sa tête*. ¹³ Puis,

---

12. *Après « sur sa tête », H ajoute « vers le ciel », sans doute glose inspirée par Ex* **9** 8, 10. *Certains lisent* bᵉšammah « *en signe d'horreur* ».

---

a) Selon certains exégètes, cet ulcère malin qui recouvrit Job « depuis la plante des pieds jusqu'au sommet de la tête » (cf. Dt **28** 35) ne serait autre que le furoncle d'Égypte ou « bouton du Nil », mentionné Dt **28** 27. Mais le texte doit parler d'un mal plus pernicieux, qui atteint Job « dans sa chair et dans ses os » et ne doit s'arrêter qu'au seuil de la mort. On peut penser à la lèpre tuberculeuse, dont les symptômes coïncident assez bien avec les indications du Dialogue. Mais il ne faut sans doute pas trop presser celles-ci.

b) Le tas de cendres et de détritus, le « mesbelé » qui se trouve à l'entrée des villages arabes.

c) Cf. Tb **2** 14.

d) Sur le pays de ces trois hommes, cf. Introd., pp. 7-8.

e) Tellement il était défiguré. A comparer la stupeur causée par la vue du Serviteur souffrant dans Is **52** 14.

f) Formule fréquente pour décrire une démonstration bruyante de chagrin (cf. Gn **21** 16; **27** 38).

g) Rite de pénitence et surtout de deuil (cf. Jos **7** 6; 2 S **13** 19; Ez **27** 30). Les trois amis voient Job perdu et le considèrent comme mort. Le texte

s'asseyant à terre près de lui, ils restèrent ainsi durant sept jours et sept nuits. Aucun ne lui adressa la parole, au spectacle d'une si grande douleur.

II

DIALOGUE

I. Premier cycle de discours

3. ¹ Enfin Job ouvrit la bouche et maudit le jour de sa naissance. ² Il prit la parole et dit :

Job maudit le jour de sa naissance[a].

³ Périsse le jour qui me vit naître
    et la nuit qui annonça : « Un mâle vient d'être
⁴ Ce jour-là, qu'il soit ténèbre,   [conçu[b] ! »
    que Dieu, de là-haut, ne le rappelle pas,
    que la lumière ne brille pas sur lui !

---

ajoute : « vers le ciel ». Mais lancer de la poussière vers le ciel est un geste d'une autre portée (cf. Ac **22** 23) : c'est le signe de l'indignation prenant le Ciel à témoin pour attirer sa vengeance ou pour se couvrir contre elle.

a) Même audace, en termes plus simples et plus proches encore de la vie, chez Jérémie (**20** 14-18).

b) Deux malédictions parallèles, celle du jour de la naissance et celle de la nuit de la conception. L'un et l'autre sont figurés comme deux réalités concrètes et distinctes (cf. Ps **19** 3-5), que Dieu fait sortir en leur temps et qui reviennent périodiquement dans l'année. Job ne les maudit pas seulement dans leur réalité passée; il voudrait empêcher leur retour anniversaire, les bannir du calendrier (v. 6). Nous pensons que le v. 6 concerne encore le jour, car Job envisage ici, non pas le jour légal qui commence le soir, mais le jour qui commence à l'aube (v. 6, cf. note critique).

⁵ Que le revendiquent ténèbre et ombre épaisse,
qu'une nuée s'installe sur lui,
qu'une éclipse en fasse sa proie !
⁶ Oui, que l'obscurité le possède,
qu'il ne s'ajoute pas aux jours de l'année,
n'entre point dans le comput des mois !
⁷ Cette nuit-là, qu'elle soit lugubre,
qu'elle ignore les clameurs joyeuses !
⁸ Que la maudissent ceux qui maudissent les jours[a]
et sont prêts à réveiller Léviathan[b] !
⁹ Que se voilent les étoiles de son aube,
qu'elle attende en vain la lumière
et ne voie point s'ouvrir les paupières de l'aurore !
¹⁰ Car elle n'a pas fermé sur moi la porte du ventre,
pour cacher à mes yeux la souffrance.

¹¹ Pourquoi ne suis-je pas mort dès le sein,
n'ai-je péri aussitôt enfanté[c] ?

---

3 5. « *ombre épaisse* » ṣalmût *conj.*; « *ombre de la mort* » ṣalmawèt *H.* —
« *éclipse* » kamrîr yôm *conj.*; « *comme des amertumes du jour* » kimrîrê yôm *H.*

6. « *Oui* » : *on lit* hinnèh, *tiré du v.* 7, *et on supprime* « *cette nuit-là* », *dû à
une contamination de ce même v.* — « *s'ajoute* » *Syr Vulg* ; « *se réjouisse* » *H.*

---

a) Soit les ennemis de la lumière, ceux qui agissent dans les ténèbres
(cf. **24** 13 s; **38** 15); soit ceux qui, comme Job, maudissent le jour de
leur naissance et voient dans la vie un mal radical; soit, plutôt, des pro-
fessionnels : sorciers, jeteurs de sorts. Ils étaient capables, croyait-on, de
changer, par leurs imprécations et sortilèges, les jours fastes en jours
néfastes; ou bien d'attirer les éclipses, lorsque « Léviathan » engloutissait
momentanément le soleil.

b) Sur Léviathan, cf. **40** 25 et la note; Is **27** 1; **51** 9; Am **9** 3; Ps **74** 14;
104 26. D'anciens textes phéniciens nomment ce serpent ou dragon, « le
serpent fuyard, le serpent tortueux, le puissant aux sept têtes ». C'était
dans la mythologie phénicienne un monstre du chaos primitif, cf. **7** 12 et
la note; l'imagination populaire pouvait toujours craindre qu'il ne se
« réveillât », attiré par une malédiction efficace contre l'ordre existant. Le
Dragon de Ap **12** 3, qui incarne la résistance à Dieu de la puissance du
mal, revêt certains traits de ce serpent chaotique.

c) Cf. **10** 18-19.

¹² Pourquoi s'est-il trouvé deux genoux pour m'ac-
     deux mamelles pour m'allaiter ?   [cueillir,
¹³ Maintenant je serais étendu dans le calme,
     je dormirais d'un sommeil reposant,
¹⁴ avec les rois et les grands ministres de la terre,
     qui se bâtirent des mausolées[a],
¹⁵ ou avec les princes qui ont de l'or en abondance
     et de l'argent plein leurs demeures[b].
¹⁶ Ou bien, tel l'avorton caché qui n'a pas existé,
     je serais comme les petits qui ne voient pas le
¹⁷ Là[d], prend fin l'agitation des méchants,   [jour[c].
     là se reposent les épuisés.
¹⁸ Les captifs de même sont laissés tranquilles
     et n'entendent plus les cris du surveillant.
¹⁹ Là, petits et grands se confondent
     et l'esclave recouvre sa liberté.

²⁰ Pourquoi donner à un malheureux la lumière,
     la vie à ceux qui ont l'amertume au cœur,

---

16. « *qui n'a pas existé* » *conj.*; *H a le verbe à la première personne.*

---

a) Traduction approximative d'un mot hébreu qui signifie : ruines, lieux déserts, et qui comme tel s'accorde mal avec le verbe « bâtir ». Mais le contexte fait songer à des demeures funéraires, souvent édifiées dans des lieux déserts, par exemple en Égypte. Et l'on pourrait traduire : « qui se bâtissent (des demeures) dans des solitudes ». Une correction au texte (hăramôt, avec le sens de « pyramides ») aboutirait à une interprétation semblable.

b) Dans leurs tombes, comme les rois d'Ur ou les Pharaons. Le contexte recommande cette interprétation, bien qu'on puisse traduire aussi : « qui « avaient de l'or... ».

c) On transpose souvent ce v. après le v. 11 ou le v. 12 et l'on traduit : « Pourquoi n'ai-je été comme l'avorton caché, — comme les petits qui ne voient pas le jour ? » Si l'on conserve l'ordre reçu, il y a un effet de contraste voulu entre ceux qui reposent dans des tombeaux princiers et les avortons mort-nés. La condition du shéol ne fait plus de distinction.

d) Au shéol, désigné ainsi par euphémisme (cf. **1** 21).

²¹ qui aspirent vers la mort sans qu'elle vienne,
   fouillent à sa recherche plus que pour un trésor ?
²² Ils se réjouiraient en face du tertre funèbre,
   exulteraient s'ils atteignaient la tombe.
²³ Pourquoi ce don à l'homme qui ne voit plus sa route
   et que Dieu cerne de toutes parts ?

²⁴ Pour nourriture, j'ai mes soupirs,
   comme l'eau s'épanchent mes rugissements.
²⁵ Toutes mes craintes se réalisent
   et ce que je redoute m'arrive[a].
²⁶ Ni tranquillité ni paix pour moi
   et mes tourments chassent le repos[b].

Confiance en Dieu[c].

4. ¹ Éliphaz de Témân prit la parole et dit :

² Si on t'adresse la parole, le supporteras-tu ?
  Mais comment garder le silence !
³ Vois, tu faisais la leçon à beaucoup d'autres,
  tu rendais vigueur aux mains débiles ;

---

22. *Texte corrigé en lisant* gal (« *tumulus* ») *ou* gôlél (« *pierre funéraire* »);
« *Ils se réjouiraient jusqu'à jubilation* » H.
4 2. « *Si on t'adresse* » hăniśśa' *Aq Sym Theod ;* « *A-t-on essayé* » hănissah H.

---

a) Cf. Pr **10** 24.
b) Au v. 23, Job est revenu insensiblement à son propre sort, et applique
à lui-même ses « pourquoi » anxieux. Car il est l'homme dont la route est
obscure et sans issue. Le juste, au contraire s'avance, par des sentiers de
lumière (cf. Pr **4** 18-19), sur un chemin sûr, large et aplani (cf. Pr **15** 19,
24; Is **26** 7).
c) Cette réponse d'Éliphaz, dont maint passage a soutenu plus tard les
Juifs aux temps d'épreuve, exprime la doctrine traditionnelle : doctrine
qui reste vraie, malgré ses limites. Doutant de son efficacité dans tous les
cas, le poète ne semble pas moins y avoir mis une part de ses convictions
personnelles.

⁴ tes propos redressaient l'homme qui chancelle,
  fortifiaient les genoux qui ploient.

⁵ Et maintenant, ton tour venu, tu perds patience,
  atteint toi-même, te voilà tout bouleversé !

⁶ Ta piété ne te donne-t-elle pas confiance,
  ta vie intègre ne fait-elle pas ton assurance ?

⁷ Souviens-toi : quel est l'innocent qui a péri ?
  Où donc a-t-on vu des justes exterminés *a* ?

⁸ Je parle d'expérience : ceux qui labourent l'iniquité
  et sèment l'affliction, les moissonnent.

⁹ Sous l'haleine de Dieu ils périssent,
  au souffle de sa colère ils sont anéantis.

¹⁰ Les rugissements du lion, ses cris de fauve,
   comme les crocs des lionceaux sont brisés.

¹¹ Le lion périt faute de proie,
   et les petits de la lionne se dispersent *b*.

¹² J'ai eu aussi une révélation furtive *c*,
   mon oreille en a perçu le murmure.

¹³ A l'heure où les rêves s'emparent de l'esprit *d*,
   quant une torpeur envahit les humains,

---

a) Cet appel à l'expérience aggrave la raideur de la doctrine traditionnelle. Affirmation analogue, Ps **37** 25, et, sans référence explicite aux faits, Pr **12** 21. Cf. encore Si **2** 10.

b) Une de ces sentences imagées, fréquentes dans la littérature sapientielle. Sur les « lions » et « lionceaux », cf. Pr **28** 15 ; Ps **17** 12 ; **22** 14, 22.

c) Une parole céleste, communiquée peut-être par l'intermédiaire d'un ange, au milieu d'un sommeil profond, cf. Gn **2** 21 ; **15** 12. Les grands prophètes recevaient le plus souvent la parole de Dieu à l'état de veille (voir pourtant Za **1** 8). — Ainsi la doctrine des Sages, après avoir gardé longtemps le caractère plutôt rationnel d'un savoir transmis par tradition, s'ouvre à des révélations qui lui donnent un caractère « charismatique ». La vision que le poète prête à Éliphaz atteste l'importance que l'on accordait dans ces milieux à de telles expériences ; c'est un des passages de la Bible qui donnent davantage le « frisson du sacré ».

d) « s'emparent de l'esprit », périphrase pour un mot hébr. rare signifiant « pensées excitées ou obsédantes ».

¹⁴ un frisson d'épouvante me saisit
et mes os tremblèrent d'effroi.
¹⁵ Un souffle^a glissa sur ma face,
hérissa le poil de ma chair,
¹⁶ Quelqu'un se dressa... je ne reconnus pas son visage,
mais l'image restait devant mes yeux.
Un silence... puis une voix se fit entendre ^b :
¹⁷ « Un mortel est-il juste devant Dieu,
en face de son Auteur, un homme serait-il pur^c ?
¹⁸ A ses serviteurs mêmes, Dieu ne fait pas confiance,
et il convainc ses anges d'égarement^d.
¹⁹ Que dire^e des hôtes de ces maisons d'argile,
posées elles-mêmes sur la poussière ?
On les écrase comme une mite;
²⁰ un jour suffit à les pulvériser.
A jamais ils disparaissent et nul ne les rappelle.

---

14. « *tremblèrent* » *cf.* **33** 19^b; « *la multitude* » H.
20. « *nul ne les rappelle* » mésîb *conj.*; « *ou n'y prend pas garde* » mésîm H.

---

a) Cette traduction paraît préférable à celle d' « esprit », bien que le mot « ruah » soit employé ici au genre masculin. C'est le souffle qui signale le passage d'un être surnaturel.

b) L'auteur reprend, en les inversant, les mots mêmes qui décrivent la perception de la présence divine par Élie sur l'Horeb (1 R **19** 12 s). Cf. aussi Dn **10** 7-9, où il s'agit d'un ange.

c) Cf. Ps **143** 2; Jb **14** 4; **15** 14; **25** 4-6.

d) Le mot traduit par « égarement » pourrait être rendu aussi par « folie ». Il ne se rencontre qu'ici dans la Bible. Les serviteurs de Dieu sont identiques aux anges (parallélisme synonymique). L'auteur semble partager ici une croyance populaire et exprimer, d'une façon primitive, les limites de telles créatures en face de Dieu. Leur science est limitée, leur volonté faillible (cf. Gn **6** 2-4).

e) Si ces êtres qui approchent Dieu gardent pourtant une impureté radicale, l'homme charnel et périssable doit être souillé bien davantage. Opposition analogue Is **31** 3, mais sans l'idée adjacente de péché. Saint Paul insistera sur la nécessité d'une régénération de l'homme charnel, sorti de terre (1 Co **15** 42-50).

²¹ Leur piquet de tente est arraché,
et ils meurent faute de sagesse^a. »

5.   ¹ Appelle maintenant ! Est-ce qu'on te répondra ?
Auquel des saints^b t'adresseras-tu ?

² En vérité, le dépit fait périr l'insensé
et l'irritation consume le sot.

³ J'ai vu ceci, moi : l'un d'eux prenait racine,
quand sa demeure fut soudain maudite.

⁴ Ses fils sont privés de tout appui,
accablés à la Porte^c sans défenseur;

⁵ Leur moisson nourrit des affamés,
car Dieu la leur ôte de la bouche,
et des hommes altérés convoitent leurs biens.

⁶ Non, la misère ne sourd pas de terre,
la peine ne germe pas du sol.

⁷ C'est l'homme qui engendre la peine^d,
comme le vol des aigles^e recherche l'altitude.

---

21. « *piquet de tente* » y^etédam *conj.*; « *corde* » yitram *H.*
5 3. « *fut maudite* » *d'après G Syr ;* « *je maudis* » *H.* — *Le texte des vv.* 3-4
est mal assuré. La traduction reste conjecturale.
5. « *de la bouche* », *litt.* « *de leurs dents* » miššinîm *conj.*; « *et hors des épines* (?) »
miṣṣinîm *H.* — « *convoitent* » *: on lit un pluriel.*
7. « *qui engendre* » *conj.*; « *est né* » *H.*

---

a) Ou : « et ils meurent comme des êtres stupides ». D'après la traduction adoptée, il s'agit soit d'une mort prématurée, que l'homme attire par
son imprévoyance et sa folie, soit de la mort à brève échéance qui est le
lot de l'être humain comme tel, et que sa science limitée ne peut empêcher.
b) Les anges, appelés « les saints », comme en **15** 15 (à éclairer par **4** 18).
Cf. aussi Za **14** 5; Dn **4** 10, 14, 20; **8** 13. Leur intercession est encore
mentionnée **33** 23-24 (cf. Za **1** 12; Tb **12** 12).
c) La porte principale de la ville, avec la place qu'elle abritait, lieu des
rassemblements officiels du peuple, des réunions des Anciens et où se
rendait la justice. « A la Porte » signifie couramment : « devant le tribunal ».
d) Cf. **15** 35; Gn **3** 17-19.
e) « aigles ». Hébr. : « fils de Résheph ». Traduit d'après les versions,
rêšép désignant sans doute ici un dieu de la foudre et de l'éclair.

⁸ Pour moi, j'aurais recours à Dieu^a,
   à lui j'exposerais ma cause.

⁹ Il est l'auteur d'œuvres grandioses et insondables,
   de merveilles qu'on ne peut compter^b.

¹⁰ Il répand la pluie sur la terre,
   envoie les eaux sur les campagnes.

¹¹ S'il veut relever les humiliés,
   pousser les affligés au comble du bonheur,

¹² il déjoue les desseins des rusés,
   frappe d'impuissance leurs intrigues^c.

¹³ Il prend les sages au piège de leurs astuces^d,
   rend stupides les conseillers retors.

¹⁴ En plein jour ils se heurtent aux ténèbres,
   ils tâtonnent, à midi, comme dans la nuit.

¹⁵ Il arrache de leur gueule l'homme ruiné
   et le pauvre des mains du violent.

¹⁶ Alors le miséreux renaît à l'espoir
   et l'iniquité doit fermer la bouche.

¹⁷ Oui, heureux l'homme que Dieu corrige !
   Aussi, sois docile à la leçon^e de Shaddaï^f !

---

15. « *ruiné* » moḥŏrab *conj.*; « *de l'épée* » méḥèrèb *H.*

---

a) Éliphaz n'oppose pas ceux qui recourent aux anges et ceux qui, comme lui, s'adressent directement à Dieu. Il invite plutôt Job à se remettre dans l'ordre vis-à-vis de Dieu.

b) Cf. **9** 10; Si **43** 32.

c) « Intrigue » traduit le terme sapientiel « tûšıyyah », qui selon nous désigne fondamentalement l'art du succès. D'où la prévoyance habile, la réussite. Le terme est pris ici au sens péjoratif.

d) Cet hémistiche est cité par saint Paul (1 Co **3** 19), mais sous une forme qui n'est pas le texte de la Septante.

e) L'opinion d'Éliphaz sur Job se précise : ses maux sont une correction, une leçon douloureuse mais salutaire. Ainsi dira encore Élihu (**33** 19 s). Cf. Pr **3** 11-12, cité par He **12** 5 s.

f) Ce nom divin (que la Septante et la Vulgate traduisent le plus souvent « Tout-Puissant ») est très fréquent dans le livre et en parallélisme synony-

¹⁸ Lui, qui blesse, puis panse la plaie,
       qui meurtrit, puis guérit de sa main[a],
¹⁹ six fois de l'angoisse il te délivrera,
       et une septième[b] le mal t'épargnera.
²⁰ Dans une famine, il te sauvera de la mort;
       à la guerre, des atteintes de l'épée.
²¹ Tu seras à l'abri du fouet de la langue[c],
       sans crainte à l'approche du pillard.
²² Tu riras de la sécheresse et du gel
       et tu ne craindras pas les bêtes de la terre.
²³ Tu auras un pacte avec les pierres des champs[d],
       les bêtes sauvages seront en paix avec toi.
²⁴ Tu trouveras ta tente prospère,
       ton bercail au complet quand tu le visiteras.
²⁵ Tu verras ta postérité s'accroître,
       tes rejetons pousser comme l'herbe des champs.
²⁶ Tu entreras dans la tombe bien mûr,
       comme on entasse la meule en son temps.

---

21. « *du pillard* » šŏdéd *conj.*; « *de la dévastation* » šŏd *H.*
22. « *de la sécheresse et du gel* » lᵉšarab wûlkᵉpôr *conj.*; *H* (« *de la dévastation et de la famine* » lᵉšod wûlkapan) *répète deux fléaux déjà mentionnés.*

---

mique avec El ou Éloah. Ce nom remonte à l'époque patriarcale (Gn **17** 1; Ex **6** 3). Il est employé dans le poème de Job avec une intention très nette d'archaïsme.

a) Cf. Dt **32** 39; Os **6** 1.

b) Éliphaz s'exprime à la façon des proverbes numériques (cf. Pr **6** 16 s; **30** 15 s). Il envisagerait donc sept calamités; mais l'état du texte (cf. note crit. sur v. 22) ne permet pas de les identifier avec certitude. Du reste, ce chiffre symbolique et parfait peut signifier la totalité des maux possibles.

c) La calomnie et les fausses accusations (1 R **21** 11 s). Sur la langue qui frappe et qui tue, cf. Jr **18** 18; Is **54** 17; Ps **12** 3-5; **31** 21.

d) L'alliance avec les pierres des champs, l'un des principaux obstacles à la culture en Palestine (cf. Is **5** 2; 2 R **3** 19, 25), doit signifier que celles-ci n'envahiront plus, comme d'elles-mêmes, le sol cultivé ou cultivable. Un pacte analogue, avec les bêtes des champs, est promis aux temps messianiques : Os **2** 20. Cf. aussi Is **11** 6-8.

²⁷ Tout cela, nous l'avons observé : c'est la vérité !
A toi d'écouter et d'en faire ton profit.

L'homme accablé connaît seul sa misère.

6. ¹ Job prit la parole et dit :

² Oh ! Si l'on pouvait peser mon affliction,
mettre sur une balance tous mes maux ensemble !
³ Mais c'est plus lourd que le sable des mers :
aussi mes propos s'égarent.
⁴ Les flèches de Shaddaï[a] en moi sont plantées,
mon humeur boit leur venin
et les terreurs de Dieu[b] sont en ligne contre moi.
⁵ Voit-on braire un onagre auprès de l'herbe tendre,
un bœuf mugir à portée du fourrage ?
⁶ Un aliment fade se mange-t-il sans sel,
le blanc de l'œuf[c] a-t-il quelque saveur[d] ?
⁷ Or ce que refuse mon appétit,
c'est là ma nourriture de malade.

⁸ Oh ! que se réalise donc ma prière,
que Dieu réponde à mon attente !

---

6 7. « *c'est là... de malade* » bidwayyî *conj.*; « *ils sont comme une maladie de mon pain* » kidwê *H.*

---

a) Cf. **7** 20; **16** 13. Dieu est souvent comparé dans la Bible à un archer : Dt **32** 23; Ez **5** 16; Lm **3** 12-13 et surtout Ps **38** 3-4. L'hémistiche suivant semble faire allusion à la coutume des flèches empoisonnées.

b) Ce sont des peines intérieures : angoisses, phobies, cauchemars, obsession de la colère divine, sentiment d'être abandonné par Dieu, toutes attribuées directement à une influence divine. — Cf. Ps **88** 17.

c) « blanc de l'œuf ». On suit l'interprétation targumique. D'autres songent à une plante, le suc du pourpier ou le jus de la mauve.

d) Sentences imagées qui devaient être des proverbes courants. La nourriture qui répugne à Job est à la fois réelle et symbolique. Par contraste, ses amis bien nourris n'ont aucune raison de prendre la vie en dégoût. Ils sont incapables de comprendre.

⁹ Que Lui consente à m'écraser,
     qu'il dégage sa main et me supprime !
¹⁰ J'aurai du moins cette consolation,
     ce sursaut de joie en de cruelles souffrances,
     de n'avoir pas renié les décrets du Saint[a].
¹¹ Ai-je donc assez de force pour attendre ?
     Voué à une fin certaine, à quoi bon vivre encore ?
¹² Ma force est-elle celle du roc,
     ma chair est-elle d'airain ?
¹³ Puis-je trouver en moi quelque appui,
     et tout secours n'a-t-il pas fui loin de moi ?
¹⁴ Refuser la pitié à son prochain,
     c'est rejeter la crainte de Shaddaï[b].

¹⁵ Mes frères ont été décevants comme un torrent,
     comme le lit des ruisseaux passagers[c].
¹⁶ La glace alimente leurs eaux sombres,
     ils grossissent à la fonte des neiges;
¹⁷ mais, dès la saison sèche, ils tarissent,
     ils s'évanouissent sous l'ardeur du soleil.
¹⁸ Pour eux, les caravanes quittent les pistes,
     s'enfoncent dans le désert et s'y perdent.

---

14. « *Refuser* » *conj. d'après Vers.*; « *Fondre, se liquéfier* » *H.*
16. « *eaux* » *corr. tirée de la préposition.* — « *ils grossissent* » ʿôlîm *conj.*; « *sur eux* » ʿalêm(ô) *H.*

---

a) « Renier les décrets du Saint », c'est les effacer volontairement, c'est-à-dire faire acte de révolte contre les décrets de la Providence. Pour « le Saint » : cf. Is **40** 25; Ha **3** 3. Job atteste sa soumission foncière; il ne s'est pas révolté. Mais que la mort ne tarde pas !
b) Ce v., considéré souvent comme une glose, fait transition et introduit un développement sur l'attitude décevante des amis de Job. Il fait écho aux enseignements prophétiques qui font de la bonté à l'égard d'autrui un élément essentiel d'une religion authentique. Cf. encore **29** 12-13; **31** 16-20.
c) Même comparaison, audacieusement appliquée à Dieu, en Jr **15** 18.

¹⁹ Les caravanes de Téma les fixent des yeux,
   en eux espèrent les convois de Saba*ᵃ*.
²⁰ Leur confiance se voit déçue;
   arrivés près d'eux, ils restent confondus.

²¹ Tels vous êtes pour moi à cette heure :
   à ma vue, saisis d'effroi, vous vous dérobez.
²² Vous ai-je donc dit : « Faites-moi tel don,
   offrez tel présent pour moi sur vos biens *ᵇ*;
²³ arrachez-moi à l'étreinte d'un ennemi,
   délivrez-moi des mains d'un oppresseur » ?
²⁴ Instruisez-moi, alors je me tairai;
   montrez-moi en quoi j'ai pu errer*ᶜ*.
²⁵ On supporte sans peine des discours équitables,
   mais vos critiques, que visent-elles ?
²⁶ Prétendez-vous censurer des paroles,
   propos de désespoir qu'emporte le vent ?
²⁷ Vous iriez jusqu'à tirer au sort un orphelin,
   à faire bon marché de votre ami !
²⁸ Allons, je vous en prie, regardez-moi !
   En face, je ne mentirai point.
²⁹ Revenez, ne soyez pas injustes;
   revenez, car mon droit reste en cause.

---

20. « *Leur confiance* » : *on lit le pluriel avec Syr Targ.* — « *près d'eux* » : *on lit le suffixe pluriel.*
21. « *Tels vous êtes pour moi* » kén... hěyîtém lî *en partie d'après G Syr ;* « *car vous êtes non* » kî... hěyîtém lô H.

---

a) Cf. **1** 15 et la note.
b) Cf. Jr **15** 10.
c) Job admet avoir pu commettre des fautes d'égarement, commises surtout par inadvertance ou par ignorance. Cf. Lv **4**; Nb **15** 22-29; Ps **19** 13.

³⁰ Y a-t-il de la fausseté sur mes lèvres ?
    Mon palais ne sait-il plus discerner l'infortune*a* ?

7.   ¹ N'est-ce pas un service*b* que fait l'homme sur la
         n'y mène-t-il pas la vie d'un mercenaire*c* ? [terre,
     ² Tel l'esclave*d* soupirant après l'ombre
         ou l'ouvrier tendu vers son salaire,
     ³ j'ai en partage des mois de déception*e*,
         à mon compte des nuits de souffrance.
     ⁴ Étendu sur ma couche, je me dis : « A quand le
         Sitôt levé : « Comme le soir tarde*f* ! »   [jour ? »
         Et mon esprit, obsédé, divague jusqu'au crépus-
                                                         [cule.
     ⁵ Vermine et croûtes terreuses couvrent ma chair,
         ma peau gerce et suppure.

---

7 4. « *le jour* » *G* ; *omis par H*. — « *tarde* » wûmédéb *conj.* ; *H obscur* (middad).
   5. « *et suppure* » : *le verbe* maʿas *est interprété d'après* masas ; « *est rejetée* » *H*.

---

a) Le mot hébreu, d'une racine « tomber », signifie les malheurs qui
s'abattent sur l'homme, l'adversité, l'infortune. Job, innocent, en vient à
voir dans ses maux un cas particulier de la grande infortune humaine.

b) « Service ». Grec traduit « épreuve », Vulg. *militia,* service militaire
ou campagne militaire. — Il s'agit tout spécialement du service militaire
(cf. **14** 14). envisagé non pas comme un enrôlement temporaire, mais
comme une conscription permanente. Au sens de lutte s'ajoute donc celui
de corvée. — Pour tout le passage, cf. Si **40**.

c) Le mercenaire peine pour les autres du matin au soir et doit recom-
mencer chaque jour s'il veut vivre, car il est payé à la journée (cf. Dt **24** 15 ;
Mt **20** 8).

d) L'esclave, bien que protégé par la législation israélite et assimilé
parfois au mercenaire (Lv **25** 39-40), travaillait sans intérêt personnel et
n'aspirait qu'à l'ombre du soir (cf. Jr **6** 4).

e) « Les mois de déception » sont les désillusions continuelles de l'homme
en quête du bonheur. Il finit par renoncer à tout espoir et n'attendre plus
que l'ombre du shéol. Cf. Qo **2** 23 et Si **30** 17.

f) Cf. Dt **28** 67.

⁶ Mes jours ont couru plus vite que la navette
   et disparu sans espoir.
⁷ Souviens-toi*ᵃ* que ma vie n'est qu'un souffle,
   que mes yeux ne reverront plus le bonheur !
⁸ Invisible désormais pour tout regard,
   tes yeux seront sur moi et j'aurai disparu.
⁹ Comme la nuée se dissipe et passe,
   qui descend au shéol n'en remonte pas *ᵇ*.
¹⁰ Il ne revient pas habiter sa maison
   et sa demeure ne le connaît plus.
¹¹ Et c'est pourquoi je ne puis me taire,
    je parlerai dans l'angoisse de mon esprit,
    je me plaindrai dans l'amertume de mon âme.

¹² Suis-je la Mer, moi, ou le monstre marin*ᶜ*,
    pour me faire garder à vue ?
¹³ Si je dis : « Mon lit me soulagera,
    ma couche allégera mes souffrances »,
¹⁴ alors tu m'effraies par des songes,
    tu m'épouvantes par des visions.

---

a) Ainsi solidaire de l'humanité souffrante, résigné à la mort, Job se tourne vers Dieu. Sa prière n'est qu'ébauchée; elle laisse entendre que Dieu devrait lui permettre quelques instants de paix avant sa mort; elle suggère qu'Il regrettera, mais trop tard, un bon serviteur disparu (8ᵇ et surtout 21ᶜᵈ).

b) C'est l'un des passages où l'auteur atteste partager l'opinion courante au sujet de l'impossibilité d'un retour du shéol (cf. aussi **10** 21; **14** 7-22; **16** 22 et 2 S **12** 23; Ps **88** 11, etc.).

c) La Mer est personnifiée, comme dans les cosmogonies babyloniennes. Selon celles-ci, Tiamat (la mer), après avoir contribué à donner naissance aux dieux, avait été vaincue et soumise par l'un d'eux. Des monstres souvent identifiés avec elle, avaient aidé sa résistance. L'imagination populaire ou poétique, reprenant cette imagerie, attribuait à Yahvé cette victoire, antérieure à l'organisation du Chaos, et le voyait maintenir toujours en sujétion, sous un contrôle sévère, la Mer et les Monstres qui y habitaient. Cf. **3** 8 et la note; **9** 13; **26** 12; **40** 25 s; Ps **65** 8; **74** 13-14; **77** 17; **89** 10-11; **93** 3-4; **104** 7, 26; **107** 29; **148** 7; Is **27** 1; **51** 9.

¹⁵ Ah ! je voudrais être étranglé^a :
la mort plutôt que mes douleurs !

¹⁶ Je me consume, je ne vivrai pas toujours ;
aussi, laisse-moi, mes jours ne sont qu'un souffle^b !

¹⁷ Qu'est-ce donc que l'homme^c pour en faire si grand
pour fixer sur lui ton attention,   [cas,

¹⁸ pour l'inspecter chaque matin,
pour le scruter à tout instant ?

¹⁹ Cesseras-tu enfin de me regarder,
le temps que j'avale ma salive ?

²⁰ Si j'ai péché, que t'ai-je fait^d, à toi,
l'observateur attentif de l'homme ?
Pourquoi m'as-tu pris pour cible,
pourquoi te suis-je à charge ?

²¹ Ne peux-tu tolérer mon offense,
passer sur ma faute ?

---

15. « *mes douleurs* » 'aṣṣbôtay *conj.* ; « *mes os* » 'aṣṣmôtay *H.*
20. « *te suis-je* » *G* ; « *me suis-je* » *H.*

---

a) Plutôt que l'asphyxie qui pourrait être l'issue fatale de sa maladie,
Job souhaite cette mort violente des mains d'autrui. A l'encontre du
« lassé de la vie » égyptien, il n'envisage pas le suicide. — En dehors des
cas où un guerrier se fait achever pour échapper au déshonneur (Jg **9** 54 ;
1 S **31** 4), l'A. T. ne rapporte qu'un cas de suicide, celui du traître Ahito-
phel, 2 S **17** 23. Pour l'Israélite, Dieu seul est le maître de la vie et de la
mort.

b) Cf. Ps **144** 4.

c) L'auteur semble reprendre avec une ironie amère certains versets
du Ps **8** (cf. aussi Ps **144** 3). La sollicitude de Dieu pour l'homme devient
ici une surveillance continuelle et exigeante à laquelle l'homme ne peut
échapper. L'auteur du Ps **139**, qui évoque aussi cette emprise de Dieu sur
la vie personnelle de l'homme, y trouve un motif de confiance parce qu'il
sait que Dieu est avec lui. Job, lui, se sent traité comme un ennemi. Il se
débat contre la conception d'un Dieu qui ne serait que juste, contre une
notion juridique de la religion et du péché. Saint Paul, plus tard, gémira
sous un joug semblable, avant d'avoir eu la révélation de la bonté pater-
nelle de Dieu sur la face du Christ Jésus. C'est vers ce Dieu de miséricorde
que se tourne Job en tâtonnant (21^{ab}).

d) Dieu ne peut être atteint par le péché, en subir aucun dommage.

Car bientôt je serai couché en terre,
tu me chercheras et je ne serai plus[a].

Le cours nécessaire de la justice divine.

8.   [1] BILDAD DE SHUAH prit la parole et dit :

[2] Cesseras-tu de parler de la sorte,
de tenir des propos semblables à un grand vent ?
[3] Dieu peut-il fléchir le droit,
Shaddaï fausser la justice[b] ?
[4] Si tes fils péchèrent contre lui,
ils ont payé pour leurs fautes[c].
[6a] Pour toi, si tu es irréprochable et droit,
[5]   recherche Dieu, implore Shaddaï[d].
[6b] Dès maintenant, il te rendra sa faveur
et restaurera la maison d'un juste.
[7] Ta condition ancienne te paraîtra comme rien,
en regard de la prospérité qui t'attend.

[8] Interroge la génération passée,
médite sur l'expérience acquise par ses pères.
[9] Nous, nés d'hier, nous ne savons rien,
notre vie sur terre passe comme une ombre.

---

8 3. « *fausser* » yeᶜawwèh *G et Vulg* ; « *fléchir* » yeᶜawwèt *H.*
   5. *V. corrigé et lu comme un seul hémistiche* ; « *Si toi tu cherches Dieu et si tu implores Shaddaï* » *H. Une confusion a pu se produire entre les débuts des vv.* 5 *et* 6.
   6ᵇ. « *te rendra sa faveur* » yaᶜîr *conj.*; « *s'éveillera sur toi* » yaᶜîr *H.*

---

a) Ces derniers mots, inattendus, réintroduisent l'image d'un Dieu incliné mystérieusement vers l'homme.
b) Cf. **34** 10-12; Dt **32** 2.
c) La liaison mise par ce v. entre le Prologue et le Dialogue poétique écarte l'hypothèse de deux compositions entièrement indépendantes.
d) C'est à Job de rechercher Dieu en l'implorant. Mise au point ironique des dernières paroles de Job dans le discours précédent.

¹⁰ Mais eux, ils t'instruiront, te parleront,
   et leur pensée livrera ces sentences[a] :

¹¹ « Le papyrus pousse-t-il hors des marais ?
   Privé d'eau, le jonc peut-il croître ?

¹² Même si on l'arrache dans sa fraîcheur,
   avant toute autre herbe il se dessèche.

¹³ Tel est le sort de ceux qui oublient Dieu,
   ainsi périt l'espoir de l'impie[b].

¹⁴ Sa confiance n'est que fil[c],
   maison d'araignée, sa sécurité[d].

¹⁵ S'appuie-t-il sur sa demeure, elle cède ;
   s'y cramponne-t-il, elle s'écroule.

¹⁶ Plein de sève au soleil,
   au-dessus du jardin il lançait ses jeunes pousses.

¹⁷ Ses racines entrelacées sur un tertre pierreux,
   il puisait sa vie au milieu des rochers.

¹⁸ On l'arrache de son lieu ;
   son lieu le renie : ' Je ne t'ai jamais vu ! '

---

17. « *il puisait sa vie* » G ; « *il voyait* » H.

---

a) Bildad accable Job du poids de la tradition des Ancêtres. En le renvoyant aux « pères de la génération précédente », il parle bien, en effet, d'un enseignement traditionnel (même expression et même sens dans Si **8** 9), acquis par l'étude et l'observation des générations successives ; c'est la doctrine des sages d'autrefois. Elle est rapportée en sentences imagées, au coloris égyptien assez marqué (le mot traduit par « jonc » paraît être un mot égyptien hébraïsé). Or on sait l'influence des sagesses égyptiennes aux origines du courant sapientiel en Israël. Ces vv. 8-10 s'inspirent de Dt **4** 32 et **32** 7.

b) La loi du châtiment des impies apparaît aussi rigoureuse et aussi vérifiable qu'une loi de nature. Au v. 20, elle est présentée sous ses deux aspects complémentaires : salut des hommes droits et ruine des méchants.

c) « fil », traduction conjecturale d'un nom signifiant quelque chose de très petit et de fragile.

d) Cf. **27** 18.

¹⁹ Et le voilà pourrissant *a* sur le chemin,
   tandis que du sol d'autres germent.
²⁰ Non, Dieu ne rejette pas l'homme intègre,
   il ne prête pas main-forte aux méchants.
²¹ Le rire peut de nouveau gonfler tes joues,
   la joie éclater sur tes lèvres.
²² Tes ennemis seront couverts de honte,
   et la tente des méchants disparaîtra. »

La justice divine domine le droit.

9. ¹ JOB prit la parole et dit :

² En vérité, je sais bien qu'il en est ainsi :
   l'homme pourrait-il avoir raison contre Dieu ?
³ Quiconque s'avise de discuter avec lui,
   ne trouve pas à répondre une fois sur mille.
⁴ Son cœur est sage et sa force est grande;
   qui donc lui tiendrait tête impunément ?
⁵ Il déplace les montagnes à leur insu
   et les renverse dans sa colère.
⁶ Il ébranle la terre de son site
   et fait vaciller ses colonnes *b*.
⁷ A sa défense, le soleil ne se lève pas,
   il met un sceau sur les étoiles *c*.

---

21. « *de nouveau* » 'od *conj.*; « *jusqu'à ce que* » 'ad *H.*

---

a) « pourrissant », traduction d'après la racine *šûs :* être vermoulu, ou d'après la racine *yâšaš :* être décrépit. Traduction courante : « la joie (de sa voie) ».

b) La terre repose sur des « colonnes » et Dieu « ébranle » celles-ci lorsque se produisent des tremblements de terre (**38** 4; Ps **75** 4; **104** 5; 1 S **2** 8). Les vv. 5-7 rappellent des images eschatologiques courantes (v.g. Is **13** 10, 13; Jl **2** 10; **3** 15-16).

c) Les empêche de paraître et de briller. Baruch (**3** 34-35) mentionne l'ordre contraire.

⁸ Lui seul a déployé les Cieux[a]
    et foulé les hauteurs de la Mer.
⁹ Il a fait l'Ourse et Orion,
    les Pléiades et les Chambres du Sud[b].
¹⁰ Il est l'auteur d'œuvres grandioses et insondables,
    de merveilles qu'on ne peut compter[c].
¹¹ S'il passe sur moi, je ne le vois pas
    et il glisse imperceptible[d].
¹² S'il ravit une proie, qui l'en empêchera
    et qui osera lui dire : « Que fais-tu ? »
¹³ Dieu ne revient pas de sa colère :
    sous lui restent prostrés les satellites de Rahab[e].

---

9 11. « *le* » *Syr Vulg ; omis par H.*

---

a) Des phénomènes physiques actuels, l'auteur remonte à l'œuvre de la Création. (Le changement de point de vue est marqué par un changement grammatical : participes sans l'article.) La voûte des cieux fut déployée comme une tente (Ps **104** 2) au-dessus de la terre (même expression Is **40** 22; cf. Is **42** 5). Dieu alors « foula les hauteurs de la mer ». D'après Am **4** 13; Mi **1** 3, cela signifie qu'il lui imposa son empire, la maîtrisa aux origines.

b) Ce verset est traduit par grec : « celui qui a fait les Pléiades et Vénus et Arcturus et les trésors du Sud »; et par Vulg : « celui qui a fait Arcturus et Orion et les Hyades et les Chambres du Sud ». Énumération semblable **38** 31-32. Cf. Am **5** 8. L'identification de ces constellations n'est que probable : il y a désaccord entre les versions comme entre les traducteurs anciens ou récents. Par exemple certains modernes proposent la constellation du Lion au lieu de l'Ourse, Sirius au lieu d'Orion. Mais les Anciens considéraient Sirius comme le chien d'Orion et pouvaient les identifier. Les « cordes d'Orion » (**38** 31) font peut-être allusion à un géant enchaîné par Dieu. Le sens du mot en hébreu (« le fou, l'insensé »), l'identification d'Orion avec Nemrod dans certaines traditions, l'interprétation du Targum (« le géant ») fournissent quelque appui à cette façon de voir. Les « Chambres du Sud » désignent soit les constellations australes en général, soit l'une d'elles sans qu'il soit possible de préciser.

c) V. identique dans la bouche d'Éliphaz, **5** 9.

d) Après la sagesse et la force de Dieu dans la nature, Job évoque sa supériorité écrasante à l'égard de l'homme. Il agit invisible (11); s'il se permet un geste qui, chez les hommes, est une atteinte à la propriété d'autrui, nul n'osera lui en demander compte (12); il est libre de garder sa colère, de prolonger indéfiniment sa sévérité vengeresse (13).

e) Rahab semble ici un autre nom du Chaos ou un autre type de monstres chaotiques (cf. note sur **7** 12). Cf. aussi Ps **89** 11.

¹⁴ Et moi, je voudrais plaider ma cause*ᵃ*,
  je choisirais mes arguments contre lui*ᵇ* ?

¹⁵ Même si j'avais raison, à quoi bon me défendre ?
  Car c'est lui mon juge, qu'il faudrait supplier.

¹⁶ Et si, sur mon appel, il daignait comparaître,
  suis-je sûr qu'il écouterait ma voix ?

¹⁷ Lui, qui m'écrase pour un cheveu,
  qui multiplie sans raison mes blessures

¹⁸ et ne me laisse même pas reprendre souffle,
  tant il m'abreuve d'amertumes !

¹⁹ Recourir à la force ? Il l'emporte en vigueur !
  Au tribunal ? Mais qui donc l'assignera*ᶜ* ?

²⁰ Si je pense avoir raison, sa bouche peut me condam-
  si je m'estime innocent, me déclarer pervers. [ner;

²¹ Mais suis-je innocent ? Je ne le sais plus moi-même,
  et je fais fi de l'existence !

²² Car c'est tout un et j'ose dire :
  il fait périr de même justes et coupables.

---

17. « *pour un cheveu* » bᵉśa'ărah *Syr Targ ;* « *dans un tourbillon* » biś'ᵉ'ărah H.
19. « *l'emporte en vigueur* », litt. « *c'est lui le vigoureux* », *en lisant le dernier mot* hinnêhû. — « *l'assignera* » *d'après G Syr ;* « *m'assignera* » H.
20. « *sa bouche* » *conj.* ; « *ma bouche* » H.

---

a) Litt. : « lui répondre ». Mais le verbe a souvent un sens judiciaire : prendre la parole comme témoin, ou pour plaider sa cause et se justifier, ou même se présenter comme partie, comparaître (v. 16).

b) En face de ce Dieu dont la puissance absolue s'exerce sans restriction, à la fois juge et partie, Job ne peut recourir aux formes ordinaires de la procédure humaine (14-16). Nous retrouverons un peu plus loin (v. 32) et dans d'autres passages du Dialogue (**13** 13 s, 18 s ; **23** 1-7), ce désir d'une justification selon les formes légales. L'auteur du Poème connaît la procédure et y puise volontiers ses images et comparaisons.

c) A défaut d'une procédure normale, Job envisage maintenant la contrainte : par la force, ou par une assignation devant un tribunal. Mais il repousse aussitôt cette chimère (19). Il en vient à douter de son droit et de son innocence (20-21); si le reprendra plus loin (v. 35). Il songe plutôt ic à l'arbitraire apparent et déroutant des jugements de Dieu (cf. v. 24) qu'à la Sagesse infinie qui scrute la vérité des êtres, comme le dira Çophar (**11**).

²³ Quand un fléau mortel s'abat soudain,
  il se rit de la détresse des innocents.

²⁴ Dans un pays livré au pouvoir d'un méchant,
  il met un voile sur les yeux des juges.
  Si ce n'est pas lui, qui donc alors[a] ?

²⁵ Mes jours passent, plus rapides qu'un coureur[b],
  ils s'enfuient loin du bonheur.

²⁶ Ils glissent comme les nacelles de jonc,
  comme le vol d'un aigle en chasse.

²⁷ Si je décide de refouler mes plaintes,
  de changer de mine pour faire gai visage,

²⁸ la crainte s'empare de moi, à la pensée de tous mes
                                        [maux,
  car, je le sais, tu ne traites pas ainsi un innocent[c].

²⁹ Et si je suis coupable,
  à quoi bon me fatiguer en vain ?

³⁰ Que je me lave avec de la neige[d],
  que je purifie mes mains à la soude ?

---

a) Parce qu'il croit sans restriction à la Providence universelle de Dieu
(cf. **12** 9), Job ne craint pas de rejeter directement sur Dieu la responsabilité de ces faits « scandaleux ». Mais négligeant la responsabilité relative
et le jeu des causes secondes, limitant son horizon aux rétributions terrestres, il s'enferme à un double titre dans une impasse.

b) Le messager des grandes nouvelles (cf. Is **41** 27; **52** 7). La seconde
comparaison renvoie à la vallée du Nil, à ses barques légères et pliantes,
faites de roseaux ou de papyrus.

c) Pour Éliphaz et pour Bildad, tout dépend en définitive de la bonne
volonté de Job. Mais lui, qui sent peser sur lui les rigueurs divines, estime
que cette attitude forcée ne peut changer son état réel ni les dispositions
de Dieu à son égard.

d) Is **1** 18 et Ps **51** 9 mentionnent aussi la neige, mais comme terme
de comparaison pour signifier une purification complète des péchés. Le
mot traduit par « soude » désignait une sorte de lessive, mélange de soude
alcali et d'huile. Cf. Jr **2** 22. Écartant ces moyens matériels, Job estime
que Dieu seul peut effacer le péché; l'auteur du Ps **51** lui aussi, mais il a
conscience de péchés commis et fait appel à la miséricorde divine. Job ne
trouve pas dans sa vie passée les raisons d'un tel élan. Il en reste à ce sentiment d'impuissance, connu de ceux à qui Dieu veut apprendre à connaître
leur misère ou qu'il veut purifier à fond.

³¹ Mais tu me plonges alors dans l'ordure,
    et mes vêtements mêmes me prennent en horreur !
³² Car lui n'est pas, comme moi, un homme : impos-
                                    [sible de discuter,
    de comparaître ensemble en justice.
³³ Pas d'arbitre entre nous
    pour poser la main sur nous deux *ᵃ*,
³⁴ pour écarter de moi ses rigueurs,
    chasser l'épouvante de sa terreur !
³⁵ Je parlerai pourtant, sans le craindre,
    car je ne suis pas tel à mes yeux *ᵇ* !

10.   ¹ Puisque la vie m'est en dégoût,
    je veux donner libre cours à mes plaintes,
    épancher l'amertume de mon âme *ᶜ*.
² Je dirai à Dieu : Ne me condamne pas,
    indique-moi pourquoi tu me prends à partie.
³ Est-ce bien, pour toi, de me faire violence,
    d'avilir l'œuvre de tes mains
    et de favoriser les desseins des méchants ?
⁴ As-tu des yeux de chair
    et vois-tu à la façon des hommes *ᵈ* ?

---

31. « *dans l'ordure* » baśśuḥot *d'après G Vulg* ; « *dans la fosse* » baššaḥat H.

---

a) Pas de tiers pour arbitrer le différend, pour prendre sous sa juridiction les deux adversaires en posant la main sur l'un et l'autre ou pour empêcher une intimidation illégale (34).

b) Job ne veut pas reconnaître une culpabilité dont il n'est pas convaincu. Une connaissance plus vraie de Dieu doit jaillir finalement de cette loyauté de l'homme avec soi-même.

c) Introduction analogue en **7** 11. Job interpelle Dieu directement, dans la posture d'un accusé livré à la discrétion d'un juge implacable.

d) Dieu doit connaître le fond des cœurs au lieu de juger d'après les apparences (cf. 1 S **16** 7 ; Jr **11** 20). Et cependant il semble torturer Job comme pour lui faire avouer une faute dont il n'aurait pas la certitude.

⁵ Ton existence est-elle celle des mortels,
   tes années passent-elles comme leurs jours[a] ?
⁶ Toi, qui recherches ma faute
   et fais une enquête sur mon péché,
⁷ tu sais bien que je suis innocent
   et que nul ne me ravira de tes mains !
⁸ Tes mains m'ont façonné, formé;
   puis, te ravisant, tu voudrais me détruire !
⁹ Souviens-toi : tu m'as fait comme on pétrit l'argile
   et tu me renverras à la poussière.
¹⁰ Ne m'as-tu pas coulé comme du lait
   et fait cailler comme du laitage,
¹¹ vêtu de peau et de chair,
   tissé en os et en nerfs ?
¹² Puis tu m'as gratifié de la vie,
   et tu veillais avec sollicitude sur mon souffle[b].

---

10 8. « *puis, te ravisant* » 'aḥar sabôb *d'après G ;* « *ensemble autour* » yaḥad sabib *H.*

---

a) Cette interrogation complète la précédente. A la différence des hommes qui doivent assouvir leur vengeance en peu de temps, Dieu qui domine le temps peut se montrer longanime. Cette considération est reprise au v. 7[b] comme la précédente aux vv. 6 et 7[a].

b) Comme ailleurs dans l'A. T., la formation de l'embryon humain est attribuée directement à Dieu. Elle est comparée, sous l'influence probable de Gn 2 7, 19, à un pétrissage, au modelage de la terre glaise. Cf. **33** 6. Le point de départ de la formation organique de l'embryon est imaginé comme une coagulation du sang maternel sous l'influence de l'élément séminal : conception courante chez les Anciens, partagée par les philosophes et les médecins grecs eux-mêmes. On la retrouve Sg **7** 2. Cette substance initiale, Dieu la revêt de chair et de peau, la « tisse » en os et en nerfs, qui sont comme les mailles d'un tissu (cf. Ps **139** 13). Enfin Dieu procède à l'animation du corps, de même qu'il avait insufflé le souffle de vie à la statue d'argile (Gn **2** 7), et sa Providence veille avec sollicitude sur cette vie fragile (v. 12). Cette description n'est pas scientifique, mais religieuse : Dieu est vraiment l'auteur principal de la vie de chaque être humain.

¹³ Mais tu gardais une arrière-pensée*ᵃ*;
       je sais que tu te réservais
¹⁴ de me surveiller si je pèche
       et de ne me passer aucune faute.
¹⁵ Suis-je coupable, malheur à moi !
       suis-je innocent, je n'ose lever la tête,
       moi, saturé de honte, ivre de peines !
¹⁶ Et si je me redresse, tel un lion tu me prends en
       tu répètes contre moi tes exploits,   [chasse,
¹⁷ tu renouvelles tes attaques,
       ta fureur sur moi redouble,
       tes troupes fraîches m'assaillent sans répit.

¹⁸ Oh ! Pourquoi m'as-tu fait sortir du sein ?
       J'aurais péri alors : nul œil ne m'aurait vu,
¹⁹ je serais comme n'ayant pas été,
       du ventre on m'aurait porté à la tombe*ᵇ*.
²⁰ Et ils durent si peu les jours de mon existence !
       Cesse donc de me fixer, pour me permettre un
                                          [peu de joie*ᶜ*,

---

15. « *ivre de peines* » wûrᵉweh ῾onî *conj.*; « *et voyant* (?) *ma misère* » wûrᵉᵉh ῾onyî H.

16. « *Et si je me redresse* » : *première personne avec Syr ; troisième personne* H.

17. « *tes attaques* », *litt.* « *ton hostilité* » ᾿èdyèka *conj.*; « *tes témoins* » ᾿édèka H. — « *tes troupes... sans répit* » wᵉtaḥălép saba῾ ῾alay; « *relèves et armée avec moi* » H.

20. « *les jours de mon existence* » yᵉmê hèldî *conj.*; « *mes jours et qu'il cesse* » yamay yaḥădal H. — « *Cesse donc de me fixer* », *litt.* « *Regarde* (šᵉ῾eh) *loin de moi* », *conj.*; « *et place* (wᵉšît *Qer*) *loin de moi* », « *éloigne* » H.

---

a) Cette sollicitude de Dieu dissimulait donc des exigences redoutables. L'homme est responsable de tous ses actes devant Dieu, qui le contrôle sans répit et semble s'acharner à le perdre au nom d'exigences incompréhensibles. A travers les exagérations de Job se dissimule une vérité tragique : le tourment de l'homme déchu, c'est de se sentir dépendant d'une volonté mystérieuse et exigeante, au lieu de s'épanouir librement dans la ligne de ses dons de nature.

b) Cf. **3** 11-16.

c) C'est la dernière faveur que puisse solliciter un homme qui se sait condamné à mort et qui se résigne à son destin. Cf. Ps **39** 14.

²¹ avant que je m'en aille sans retour
    dans la région des ténèbres et de l'ombre épaisse,
²² où règnent l'obscurité et le désordre,
    où la clarté même ressemble à la nuit sombre[a].

La Sagesse de Dieu appelle l'aveu de Job.

11.   ¹ ÇOPHAR DE NAAMAT prit la parole et dit :

² Le bavard ne recevra-t-il pas la réplique ?
    Suffit-il d'être loquace pour avoir raison ?
³ Ton verbiage rendra-t-il muets les autres,
    te moqueras-tu sans qu'on te confonde ?
⁴ Tu as dit : « Ma conduite est pure,
    je suis irréprochable à tes yeux[b]. »
⁵ Mais si Dieu voulait parler,
    ouvrir les lèvres pour te répondre,
⁶ s'il te dévoilait les secrets de la Sagesse,
    qui déconcertent toute sagacité,
    tu saurais qu'il te demande compte de ta faute.
⁷ Prétends-tu saisir le mystère de Dieu,
    pénétrer la perfection de Shaddaï ?
⁸ Elle est plus haute que les cieux : que feras-tu ?
    Plus profonde que le shéol : que sauras-tu ?

---

22. *Après* « *l'obscurité* », H *ajoute* « *comme la nuit sombre, ombre épaisse* (*cf.* **3** 5) ».
11 4. « *Ma conduite* » lèktî *G ;* « *Ma doctrine* » liqᵉhî *H.*
    6. « *te demande compte* » : *verbe corrigé et suppression de* ĕloâh; « *Dieu te fait oublier* » *H.*
    8. « *plus haute que les cieux* » *Vulg ;* « *les hauteurs des cieux* » *H.*

a) « Nuit sombre » : dans Ps **91** 6, le mot *'opèl* est employé en opposition au plein midi. — Un texte babylonien illustre assez bien la conception hébraïque du shéol. Il parle « de la maison de ténèbres, de la maison d'où l'entrant ne sort pas, du chemin dont l'aller n'a pas de retour; où la poussière est leur nourriture... Ils ne voient pas la lumière, dans l'obscurité ils demeurent » (*Descente d'Istar*).
b) Sens général du précédent discours et non citation littérale.

9 Elle est plus longue que la terre
  et plus large que la mer[a].

10 S'il passe, qui l'arrêtera ?
  s'il prend, qui le fera restituer ?

11 Car lui discerne la fausseté chez l'homme ;
  il voit le crime et y prête attention.

12 Aussi l'écervelé s'assagit,
  et cet onagre impétueux s'apprivoise[b].

13 Allons, redresse tes pensées,
  tends tes paumes vers lui[c] !

14 Répudie le mal qui souille tes mains,
  ne laisse pas l'injustice habiter sous tes tentes.

15 Alors tu lèveras un front pur,
  tu seras ferme et sans crainte.

16 Ton épreuve, tu n'y songeras plus,
  oubliée comme des eaux passagères.

17 Ta vie[d], plus radieuse que le midi,
  fera de l'obscurité même une aurore.

---

10. « *qui l'arrêtera* », litt. « *qui l'enfermera* » : *on supplée le pronom.* — « *s'il prend* » w^eyiqqah *conj.* — *H porte pour ce v.* : « *S'il passe et enferme et assemble, qui le fera revenir ?* »

11. « *y prête attention* » *conj.*; « *ne prête pas attention* » *H*.

12. « *s'apprivoise* » y^elummad *conj.*; « *est né* » yiwwaléd *H*.

17. « *l'obscurité* » *Syr* ; « *il fera sombre* » *ou* « *s'il fait sombre* » *H*.

---

a) Saint Paul doit se souvenir de ce passage dans Ep **3** 18.

b) « Onagre impétueux », litt. « un étalon d'onagre-homme », cf. Gn **16** 12. — L'âne sauvage ou onagre est le type des animaux capricieux et indomptés (cf. **39** 5-8; Gn **16** 12). Çophar cite sans doute un de ces proverbes animaliers fréquents dans la littérature sapientielle.

c) C'était le geste de la prière suppliante (cf. Ex **9** 29-33; 1 R **8** 38). Is **1** 15 est un texte parallèle d'un intérêt spécial, car il parle aussi de mains souillées. Çophar semble le transposer en traçant à Job la même ligne de conduite que les prophètes prescrivaient à leur peuple : le repentir et l'éloignement de l'injustice doivent précéder le retour des faveurs divines.

d) « Ta vie », litt. « l'existence », ou avec G « ton existence ».

¹⁸ Plein d'espoir, tu seras en assurance ;
   protégé, tu habiteras en sécurité.
¹⁹ Lorsque tu reposeras, nul n'osera te troubler,
   et bien des gens rechercheront ta faveur.
²⁰ Les méchants, eux, tournent des yeux éteints,
   tout refuge leur fait défaut ;
   leur espoir, c'est le dernier soupir[a].

La sagesse de Dieu se manifeste surtout par les ravages de sa puissance.

12.   ¹ JOB prit la parole et dit :

² Vraiment, vous êtes la voix du peuple[b],
   avec vous mourra la Sagesse.
³ Moi aussi, je sais réfléchir, tout comme vous,
   je ne vous cède en rien.
   Mais qui donc n'a jamais observé de tels faits ?
⁴ Un homme devient la risée de son ami,
   quand il crie vers Dieu pour avoir une réponse.
   On se moque du juste intègre.
⁵ « A l'infortune, le mépris ! opinent les gens heureux,
   un coup de plus à qui chancelle ! »

---

18. « *protégé* » wᵉḥupparta *conj.*; « *tu épieras* » wᵉḥaparta H.
12 4. « *devient* », *litt.* « *il est* », G Syr ; « *je suis* » H.

---

a) C'est peut-être une dernière flèche décochée à celui qui n'espère plus que la mort (3 21; 6 9; **10** 21).
b) « La voix du peuple », interprétation conjecturale d'un texte obscur qui porte : « En vérité, c'est vous le peuple ». Certains traduisent : « Vous êtes sages comme tout un peuple », ou, en corrigeant le texte : « C'est vous qui possédez l'intelligence ». Quel que soit le sens précis, l'ironie est claire.

⁶ Cependant, les tentes des pillards sont en paix :
   pleine sécurité pour ceux qui provoquent Dieu
   et qui mettent Dieu dans leur poing[a] !

⁷ Interroge pourtant le bétail pour t'instruire,
   les oiseaux du ciel pour t'informer.

⁸ Les reptiles du sol te donneront des leçons,
   ils te renseigneront, les poissons des mers.

⁹ Car lequel ignore, parmi eux tous,
   que la main de Dieu a fait tout cela !

¹⁰ Il tient en son pouvoir l'âme de tout vivant
   et le souffle de toute chair d'homme[b].

¹¹ L'oreille, dit-on, apprécie les discours,
   comme le palais goûte les mets[c].

¹² La sagesse est l'affaire des vieillards,
   le discernement le fait du grand âge[d].

¹³ Mais en Lui résident sagesse et puissance,
   à lui le conseil et le discernement[e].

---

8. « *reptiles* » zoḥălê *conj.*; « *parle à* » (?) ŝîaḥ la *H*.
9. « *Dieu* ». *La plupart des mss hébr. portent* « *Yahvé* ». *Comme partout ailleurs le poète évite ce nom divin, parce qu'il fait parler des étrangers, nous suivons la leçon de 7 mss hébr.*

---

a) Expression qui doit signifier « faire de la force son dieu ».

b) Les vv. 7-10 sont souvent interprétés en ce sens que les amis de Job répètent des lieux communs, évidents pour les animaux eux-mêmes. On doit voir plutôt dans cet appel au témoignage des animaux une façon d'insister sur le caractère troublant des faits signalés (4-6). Dieu en est responsable, car il est l'Auteur de tout, la cause universelle (cf. **9** 24).

c) Verset repris en **34** 3.

d) Job cite des maximes courantes (cf. la mise au point faite par Élihu, **32** 7-9). Cette sagesse humaine patentée va s'effondrer devant la Sagesse divine. Celle-ci n'a rien plus de commun avec cette régularité rassurante et en quelque sorte rationnelle des voies divines, avec cette Providence toute disposée à faire à l'homme ici-bas une existence comblée (cf. la fin des discours de Bildad et de Çophar). Elle est transcendante, et inspire les œuvres d'une puissance implacable et irrésistible.

e) Les vieillards ne peuvent revendiquer que la sagesse et le discer-

¹⁴ S'il détruit, nul ne peut rebâtir,
   s'il emprisonne quelqu'un, nul n'ouvrira.
¹⁵ S'il retient les eaux, c'est la sécheresse;
   s'il les relâche, elles bouleversent la terre.
¹⁶ En lui vigueur et ingéniosité,
   il maîtrise l'égaré et celui qui l'égare[a].
¹⁷ Il rend stupides les conseillers du pays
   et frappe les juges de démence.
¹⁸ Il délie la ceinture des rois[b]
   et passe une corde à leurs reins.
¹⁹ Il fait marcher nu-pieds les prêtres
   et renverse les puissances établies[c].
²⁰ Il ôte la parole aux plus experts,
   ravit le discernement aux vieillards.
²¹ Il déverse le mépris sur les nobles,
   dénoue la ceinture des forts.

---

17. *On supprime le premier mot* « *fait marcher* », *cf. v.* 19. — « *Il rend stupides* » yᵉsakkél *conj.*; « *nu-pieds* » sôlél *H.* — « *du pays* » *G* ; *omis par H.*

18. « *ceinture* » mᵉzîaḥ *conj.*; « *discipline* » môsér *H.* — « *corde* » mûsar *conj.*; « *ceinture* » 'ézôr *H.*

---

nement : Dieu possède en outre le conseil qui ordonne le cours des choses dans l'univers et la puissance qui réalise. Cf. dans un contexte différent Is **11** 2, qui énumère les composantes « divines » de l'Esprit qui reposera sur le roi messianique, et Pr **8** 14. On ne peut affirmer une dépendance par rapport à Pr **8** 14, car Job est ici très personnel.

a) Job va énumérer tous les maîtres d'erreur, les chefs qui égarent un peuple et que Dieu, à son gré, rend impuissants ou stupides.

b) Dénouer la ceinture qui serre les amples vêtements orientaux, c'était ôter à quelqu'un la liberté de ses mouvements, le réduire à l'impuissance. Cette expression peut signifier aussi qu'on enlève les vêtements des captifs. La traduction du mot hébreu (corrigé, cf. note critique) par « ceinture » n'est pas certaine. Il s'agit peut-être d'un insigne royal (cf. la ceinture des rois dans Is **45** 1). Vulg traduit par « balteus », baudrier ou ceinturon.

c) D'après l'étymologie probable, il s'agit des charges héréditaires, des autorités établies depuis longtemps.

²² Il enlève aux profondeurs leurs ténèbres,
amène à la lumière l'ombre obscure*a*.

²³ Il élève une nation, puis la ruine;
il fait s'étendre un peuple, puis le supprime.

²⁴ Il ôte l'esprit aux chefs d'un pays,
les fait errer dans un désert sans pistes,

²⁵ tâtonner dans les ténèbres, sans lumière,
et tituber comme sous l'ivresse*b*.

13. ¹ Tout cela, je l'ai vu de mes yeux,
entendu de mes oreilles, et compris.

² J'en sais, moi, autant que vous,
je ne vous cède en rien*c*.

³ Mais j'ai à parler à Shaddaï,
je veux faire à Dieu des remontrances*d*.

⁴ Vous, vous n'êtes que des charlatans,
des médecins de fantaisie !

⁵ Qui donc vous apprendra le silence,
la seule sagesse qui vous convienne*e* !

---

23. « *un peuple* », *litt.* « *des peuples* » le'ummîm, *Syr Targ et certains mss hébr.*; « *des nations* » laggoyîm *H.*
24. « *aux chefs d'un pays* » *G* ; « *aux chefs du peuple du pays* » *H.*
25. « *tituber* » wayyita'û *G* ; « *il les égare* » wayyate'ém *H.*

---

a) Ce v. est souvent considéré comme déplacé de son contexte primitif. On l'insère par exemple après **11** 9. Ceux qui le maintiennent ici pensent qu'il s'agit de conspirations que Dieu dévoile soudain, et dont le mystère est comparé aux ténèbres du shéol.

b) On relève, dans cette section (17-25) des allusions à un exil de la population israélite, spécialement à celui de Juda. Pour les rois et les chefs, cf. 2 R **24** 14-15; **25** 7; pour les captifs emmenés nus et déchaussés, cf. Is **20** 4. Le v. 24 rappellerait la fuite de Sédécias (cf. 2 R **25** 5; Lm **4** 19-20). Ces allusions, vraisemblables, restent néanmoins très vagues et peuvent s'appliquer à d'autres situations.

c) Cf. **12** 3.

d) Job veut interroger Dieu sur une attitude qu'il avoue, lui, ne pas comprendre, tandis que ses amis croient posséder une panacée.

e) Cf. Ps **17** 28.

⁶ Écoutez, je vous prie, mes griefs,
     attentifs au plaidoyer*ᵃ* de mes lèvres.
⁷ Pensez-vous défendre Dieu par un langage perfide
     et sa cause par des propos mensongers ?
⁸ prendre ainsi son parti,
     vous faire ses avocats ?
⁹ Serait-il bon qu'il vous scrutât ?
     Se moque-t-on de lui comme on se joue d'un
¹⁰ Il vous infligerait une correction sévère, [homme*ᵇ*?
     pour votre partialité tacite.
¹¹ Est-ce que sa majesté ne vous effraie pas,
     ne vous frappe pas d'épouvante ?
¹² Vos vieilles maximes sont des sentences de cendre,
     vos réponses, des réponses d'argile.
¹³ Faites silence ! C'est moi qui vais parler,
     quoi qu'il m'advienne.
¹⁴ Je prends ma chair entre mes dents,
     je place ma vie dans mes mains*ᶜ*,
¹⁵ Il peut me tuer : je n'ai d'autre espoir
     que de justifier devant lui ma conduite*ᵈ*.

---

13 14. *On supprime au début du v. les deux premiers mots, dittographie de la fin du v. précédent.*

---

a) Job revient à la procédure juridique (cf. v. 18; **9** 14 et la note). Il commence par écarter, comme suspects de partialité, ceux qui prennent le parti de l'adversaire, se font en quelque sorte ses témoins (7-10). Ce reproche procède d'un sens aigu de la piété authentique. Sacrifier, au nom d'une thèse, un frère qui souffre à la justice de Dieu fait injure à celle-ci et attire la colère divine. On ne se joue pas de Dieu (9) qui voit les intentions. Sa vérité peut être dure, incompréhensible, mais on n'a pas le droit de la tenir captive dans des explications superficielles. On rapprochera Lc **9** 52-56.
b) Cf. Ga **6** 7.
c) « Prendre sa chair entre ses dents » et « mettre sa vie entre ses mains » : locutions d'allure proverbiale signifiant qu'on risquait sa vie, qu'on jouait le tout pour le tout. La première ne se rencontre qu'ici; la seconde, certainement parallèle, s'éclaire par Jg **12** 3; 1 S **19** 5; **28** 21; Ps **119** 109.
d) Job désire avant tout, non pas d'être délivré de ses souffrances

¹⁶ Et cette audace annonce ma délivrance,
   car un impie n'oserait comparaître en sa présence[a].

¹⁷ Écoutez, écoutez mes paroles,
   prêtez l'oreille à mes déclarations.
¹⁸ Voici : je vais procéder en justice[b],
   conscient d'être dans mon droit.
¹⁹ Qui veut plaider avec moi[c] ?
   Alors, j'accepte d'être réduit au silence et de
²⁰ Fais-moi seulement deux concessions[d],   [périr !
   pour que j'ose affronter ta présence :
²¹ Écarte ta main qui pèse sur moi
   et ne m'épouvante plus par ta terreur.

---

ou restauré dans sa fortune, mais de garder intact le témoignage de sa conscience, d'être réhabilité dans son honneur aux yeux des hommes et surtout aux yeux de Dieu.

a) Cette déclaration isolée permet-elle de tenir Job pour assuré de sa délivrance, alors qu'ailleurs il considère sa fin comme inéluctable ? Peut-être songe-t-il à la justification qu'il attend à la paix qu'il réclame de Dieu pour terminer sa vie. Celui qui a la conscience mauvaise fuit Dieu (cf. Gn **3** 8). Job, lui, ne redoute pas sa présence.

b) Job imagine ici un procès où il jouerait le rôle de plaignant et Dieu celui d'adversaire (cf. **9** 14 et la note). Il manque un arbitre, un juge (cf. **9** 32-33). Mais Job n'y songe plus et il réduit son juge au rôle d'adversaire comme si sa cause devait être examinée et jugée entre eux deux.

c) Cette question était sans doute la formule initiale d'un plaidoyer. Cf. Is **50** 8 où le Serviteur défie tout adversaire de la convaincre en justice (voir encore Is **1** 18; Os **2** 4; Mi **6** 1-2). La situation imaginée par Job en est peut-être une réminiscence. Job reprend les termes mêmes du Serviteur, sans partager toutefois sa confiance. Le v. 28, comparé à Is **50** 9, manifeste cette différence. Le second hémistiche porte : « car dès maintenant je me tairai et j'expirerai », ce qui peut encore être une formule juridique : celui qui défie les contradicteurs accepte d'avance d'être réduit au silence par manque d'arguments et de subir la sentence la plus grave. Job se propose de rencontrer Dieu en justice; si Dieu accepte, Job est tellement sûr de son droit qu'il se soumet d'avance à la peine, s'il venait à être confondu.

d) D'abord, rencontrer Dieu sur un pied d'égalité et recouvrer sa liberté (cf. **23** 6). Ensuite, un ordre du débat. Ou Dieu, ou Job, parlera le premier. Job adopte aussitôt ce dernier parti.

²² Puis engage le débat et je répondrai;
  ou plutôt je parlerai et tu me répliqueras.
²³ Combien de fautes et de péchés ai-je commis ?
  quelle a été ma transgression, mon offense ?
²⁴ Pourquoi caches-tu ta face *a*
  et me considères-tu comme ton ennemi ?
²⁵ Veux-tu effrayer une feuille que le vent pourchasse,
  t'acharner contre une paille sèche ?
²⁶ Toi, qui rédiges contre moi d'amères sentences
  et m'imputes mes fautes de jeunesse *b*,
²⁷ qui as mis mes pieds dans les ceps *c*,
  qui surveilles toutes mes démarches
  et prends l'empreinte de mes pas !
²⁸ Et ma vie s'effrite comme un bois vermoulu,
  ou comme un vêtement dévoré par la teigne *d* !

14. ¹ L'homme *e*, né de la femme,
  a la vie courte, mais des tourments à satiété.

---

28. « *Et ma vie* » wᵉḥayyay *conj.*; « *Et lui* » wᵉhû' *H*.

---

a) Dieu « cache sa face » lorsqu'il refuse les signes de sa présence gracieuse et favorable (cf. Ps **44** 25; **88** 15). Dans l'ancien Israël, « voir la
face de Yahvé », c'était se rendre à son sanctuaire, se soumettre au rayonnement bienfaisant de cette présence. Il « faisait briller sa face » par sa béné-
diction et son assistance sensible ou même intérieure.

b) Le type des fautes commises par fragilité ou par inadvertance
(cf. Ps **25** 7).

c) Cet instrument de torture immobilisait complètement le patient.
Jérémie subit réellement ce supplice (Jr **20** 2); Paul et Silas aussi (Ac **16** 24).
L'expression n'est ici qu'une image : Job est réduit à l'impuissance, sa
situation est sans issue.

d) Cf. Ps **39** 12; **102** 27. — Beaucoup de critiques placent ce v. après
14 2 ou **14** 6.

e) Ce passage est parfois considéré comme un poème primitivement
indépendant, une élégie sur la misère de l'homme. En fait, il se rattache
au développement précédent par le v. 28 et nous avons déjà constaté
(cf. **7** 1) que Job a tendance à voir dans son infortune personnelle toute

² Pareil à la fleur, il éclôt puis se fane,
  il fuit comme l'ombre sans arrêt*ᵃ*.
³ Et sur lui tu daignes ouvrir les yeux,
  tu l'amènes en jugement devant toi*ᵇ* !
⁴ Mais qui donc extraira le pur de l'impur*ᶜ* ?
  Personne !

---

14 3. « *tu l'amènes* » *Vers.*; « *tu m'amènes* » *H.*

---

la condition humaine. On peut le considérer comme le plaidoyer qui doit
adoucir Dieu : en face de cette créature chétive, ses rigueurs ne se com-
prennent pas. C'est bien la même argumentation qui se poursuit, mais avec
des accents mélancoliques et résignés. Le Siracide (Si **40** 1-10) énumère à
un autre point de vue les misères de la vie, avec une résignation plus soumise; mais plus aveugle aussi devant l' « arrêt de la mort » (cf. Si **41** 3-4).
Cf. encore Sg **2** 1.

a) La première comparaison rappelle Is **40** 6-8 ; Ps **37** 2 ; **90** 5-6 ; **103** 15.
La seconde Ps **144** 4 ; Qo **6** 12.

b) Même formule et même idée, sur le ton de la supplication dans
Ps **143** 2.

c) Targ ajoute : « si ce n'est Dieu »; Vulg : « n'est-ce pas toi qui es le
seul ». Gloses sur le texte qui, du reste, peut être corrompu. — Dans sa
teneur actuelle, préférable encore aux corrections proposées, ce v. reconnaît l'impureté foncière de l'homme. Déjà Éliphaz avait dit quelque chose
de semblable (**4** 17; cf. encore **9** 30; **15** 14; **25** 4) et Job n'a jamais nié que
l'homme ne soit un être souillé et faillible devant Dieu. Mais jusqu'ici, il
considérait seulement les fautes délibérées et il croyait à la bonté de Dieu
s'inclinant vers cette créature souillée et fragile. Il allègue maintenant cette
impureté radicale comme une excuse, comme un fait dont Dieu devrait
tenir compte. Ce v. dans son sens obvie est donc en parfait accord avec le
contexte et les idées que l'auteur prête à Job. La notion d'une impureté
rituelle ou physique y prédomine : celle que l'homme contracte dès sa
conception (cf. Lv **15** 19 s) ou sa naissance (cf. Lv **12** 2 s) parce qu'il est
né d'une femme. Elle a pour conséquence un état d'impureté morale (**17** 9
porte le même mot hébr. traduit ici par « pur »), qui est une propension au
péché, à l'injustice, se traduisant nécessairement par des fautes légères, non
préméditées. Mais dans tout cela, il n'y a pas de quoi mettre en branle
l'appareil de la justice divine. — L'exégèse chrétienne a souvent vu dans
ce passage au moins une allusion au péché originel, transmis par la génération. Mais la cause exacte de cet état d'impureté reste ici imprécise et
l'accent est mis sur l'impureté physique ou rituelle. Aussi ne peut-on guère
voir davantage ici qu'un écho lointain de ce dogme, une affirmation de
portée plus restreinte mais susceptible d'être intégrée et éclairée par lui.
Ps **51** 7 est plus net mais non encore formel.

⁵ Puisque ses jours sont comptés,
  que le nombre de ses mois dépend de toi,
  que tu lui fixes un terme infranchissable,

⁶ détourne de lui tes yeux et laisse-le,
  tel un mercenaire, finir sa journée.

⁷ L'arbre conserve un espoir,
  une fois coupé, il peut renaître encore
  et ses rejetons continuent de pousser.

⁸ Même avec des racines qui ont vieilli en terre
  et une souche qui périt dans le sol,

⁹ dès qu'il flaire l'eau, il bourgeonne,
  et se fait une ramure comme un jeune plant.

¹⁰ Mais l'homme, s'il meurt, reste inerte;
   quand un humain expire, où donc est-il[a] ?

¹¹ Les eaux des mers peuvent disparaître,
   les fleuves tarir et se dessécher :

¹² l'homme ne se relèvera pas de sa couche,
   les cieux s'useront avant qu'il ne s'éveille,
   qu'il ne sorte de son sommeil[b].

---

6. « *laisse-le* » *un ms hébr.*; « *qu'il se repose* » *texte reçu.*
12. « *s'useront* » b⁰lôt *Syr Vulg* (*cf. Is* **51** 6; *Ps* **102** 27); « *ne pas* » biltî *H.*

---

a) On ne le trouve plus sur cette terre et l'existence diminuée qui se
prolonge au shéol ne mérite plus le nom de vie. — Cf. Qo **3** 21.
b) Pour mieux affirmer que l'homme disparaît sans espoir de retour
(11-12, 18-19), Job emploie des images de tendance ou de caractère eschatologique. Le v. 11 rappelle Is **19** 5 décrivant le jugement de Dieu contre
l'Égypte; ou encore Is **51** 6 : les cieux qui se dissiperont (litt. « s'useront »)
comme une fumée, tandis que le salut de Yahvé durera éternellement.
Job croit-il pour autant à une résurrection à la fin du monde, « lorsque
le ciel et la terre passeront » (Mt **24** 35) ? Il paraît plutôt vouloir dire que
même si ces phénomènes se produisaient, l'homme continuerait de subir
l'inertie de la mort. Il ne s'intéresse ici qu'au sort de l'individu dans les
conditions normales de son existence terrestre — quand bien même il
connaîtrait des thèmes apocalyptiques comme Is **26** 19.

¹³ Oh ! Si tu me cachais dans le shéol,
   si tu m'y abritais, tant que passe ta colère[a],
si tu me fixais un délai, pour te souvenir ensuite de
¹⁴ — car, une fois mort, peut-on revivre ? — [moi :
tous les jours de mon service j'attendrais,
   jusqu'à ce que vienne ma relève.

¹⁵ Tu appellerais et je te répondrais ;
   tu voudrais revoir l'œuvre de tes mains.

¹⁶ Tandis que maintenant tu comptes tous mes pas,
   tu n'épierais plus mes péchés,

¹⁷ tu scellerais ma transgression dans un sachet
   et tu blanchirais ma faute.

¹⁸ Hélas[b] ! Comme une montagne finit par s'écrouler,
   un rocher par changer de place,

¹⁹ l'eau par user les pierres,
   l'averse par emporter les terres,
   ainsi, l'espoir de l'homme, tu l'anéantis.

---

18. « *finit par s'écrouler* » napôl yippol *G Syr ;* « *en tombant s'use (se flétrit)* »
nôpel yibbôl *H.*

19. « *averse* » sᵉḥîpah *conj.*; *H* sᵉpîḥèha *obscur et sans doute corrompu.*

---

a) Dans Is **26** 20, le peuple est invité à se cacher dans ses chambres,
tandis que passe la colère vengeresse de Yahvé. Am **9** 2 imagine des coupables se cachant dans le shéol. Le souhait de Job procède peut-être de ces
textes. Il n'est pas question d'un retour du shéol après la mort, bien que
la situation imaginée en évoque la possibilité. Mais Job aux abois se prend
à espérer un abri dans le seul séjour auquel il puisse penser en dehors de la
terre. Car le ciel est réservé à Dieu et aux Fils de Dieu (cf. Ps **115** 16). La
fureur divine est considérée comme une force qui sort de Dieu et doit
produire ses effets. Si Job pouvait se cacher quelque part, elle aurait le
temps de se décharger et il rencontrerait de nouveau le visage d'un Dieu
favorable. Cette situation est exploitée aux vv. **14**-17 avec un pathétique
achevé : d'un côté Job attendant sa « relève » (cf. **7** 1) ; de l'autre, Dieu qui,
sa colère passée, languit de revoir Job. Et il ne serait plus question de péché,
après le pardon total des fautes possibles.

b) Après cette fugue de son imagination Job revient à la triste réalité :
la marche vers la mort (cf. Gn **3** 17-19).

²⁰ Tu le terrasses pour toujours et il s'en va;
    tu le défigures, puis tu le congédies.
²¹ Ses fils sont-ils honorés, il n'en sait rien;
    sont-ils méprisés, il n'y pense pas.
²² Il n'a de souffrance que pour son corps,
    il ne se lamente que sur sa vie[a].

II. Deuxième cycle de discours

Job se condamne par son langage.

15.   ¹ Éliphaz de Témân prit la parole et dit :

² Un sage répond-il par des raisons en l'air,
    et se repaît-il d'un vent d'est ?
³ Se défend-il avec des mots vides
    et des discours inefficaces ?
⁴ Tu fais plus : tu ruines la piété,
    tu abolis la méditation[b] devant Dieu.
⁵ La conscience d'une faute inspire tes paroles,
    tu adoptes le langage des astucieux[c].

---

22. « *sur sa vie* », *litt.* « *sur elle* », *conj.*; « *sur lui* » H.

a) Ce v. ne signifie pas qu'au shéol, l'homme souffre encore dans sa
chair et dans son âme (« népèš »). La chair a disparu et l'âme n'a plus son
sens réel, celui de principe vital, lié au sang, qui anime le corps. Pourtant,
au shéol, on garde une certaine conscience de soi, on souffre, on se lamente.
Ou bien l'auteur veut dire que cette ombre n'a de pensée et de peine que
pour elle-même, et il l'affirme en reprenant, selon la loi du parallélisme, les
deux éléments du composé humain. Ou bien elle se souvient avec regret
de son existence charnelle.

b) Le mot désigne une attitude complexe : une application de l'esprit
aux réalités religieuses, s'accompagnant de dévotion et de crainte révé-
rentielle.

c) Job se trahit par son langage : en multipliant ses violentes protestations d'innocence, il agit comme quelqu'un qui veut dissimuler une
faute. Au v. suivant, Éliphaz en déduit la culpabilité de Job.

⁶ Ta propre bouche te condamne, et non pas moi,
   tes lèvres mêmes témoignent contre toi.

⁷ Es-tu né le premier des hommes ?
   Est-ce qu'on t'enfanta avant les collines*a* ?
⁸ As-tu écouté au conseil de Dieu
   et accaparé la sagesse ?
⁹ Que sais-tu que nous ne sachions,
   que comprends-tu qui nous dépasse ?
¹⁰ Vois parmi nous une tête chenue et un vieillard,
   chargés d'ans plus que ton père.
¹¹ Dédaignes-tu les consolations divines
   et le ton modéré de nos paroles ?
¹² Comme la passion t'emporte !
   Que tes regards sont mauvais,
¹³ quand tu fais passer sur Dieu ta colère
   en proférant tes discours !
¹⁴ Comment l'homme serait-il pur*b*,
   resterait-il juste, l'enfant de la femme ?

---

a) Certains voient ici une allusion à un mythe du premier homme : créé avant la formation du monde, il aurait assisté furtivement au conseil de Dieu et ravi une sagesse divine, de même que Prométhée déroba le feu. Si ce mythe était mieux connu par ailleurs, on pourrait sans difficulté en voir ici un écho. Mais une exégèse plus simple semble préférable. Des deux questions du v. 7, la première oppose à Job le premier homme qui par son antiquité et sa longue expérience, peut-être aussi par sa science exceptionnelle (cf. Gn 2 9, 20; Si 49 16), aurait pu se poser en maître de sagesse. La seconde, en *a fortiori*, semble lui opposer la Sagesse elle-même, enfantée avant les collines selon Pr 8 25. Cette dernière réminiscence expliquerait le lien entre les vv. 7 et 8. La Sagesse (Pr 8 22-31) était présente au conseil de Dieu (cf. Jb 28 27; Sg 8 4). Job y aurait-il assisté furtivement ?

b) Éliphaz semble se répéter lui-même (4 17-19) et dire la même chose que Job précédemment (14 4). Il reprend bien les mêmes termes mais en les aggravant, et dans un autre sens que Job. Dans 4 17-19, il parlait plutôt de l'impureté radicale de l'homme comme créature, raison de son instabilité physique. Ici d'une impureté morale, caractérisée comme une propension à l'iniquité. Job (14 4) avait vu dans la souillure native de l'homme

¹⁵ A ses Saints mêmes Dieu ne fait pas confiance,
    et les Cieux ne sont pas purs à ses yeux.
¹⁶ Combien moins cet être abominable et corrompu,
    l'homme, qui boit l'iniquité comme l'eau[a] !

¹⁷ Je veux t'instruire, écoute-moi,
    te faire part de mon expérience
¹⁸ et de l'enseignement des Sages,
    organes fidèles de la tradition des Ancêtres[b],
¹⁹ à qui seuls fut donné le pays,
    sans qu'aucun étranger se fût mêlé à eux.
²⁰ « La vie du méchant est un tourment continuel,
    les années réservées au tyran sont comptées[c].
²¹ Le cri d'alarme résonne à ses oreilles,
    en pleine paix le dévastateur va fondre sur lui.
²² Il n'espère pas échapper aux ténèbres
    et se voit désigné pour l'épée,
²³ assigné en pâture au vautour.
    Il sait que sa ruine est imminente.

---

15 22. « *désigné* », *litt.* « *réservé* » sapôn, *conj.*; « *guetté* » (?) sapû *H*.
   23. « *assigné* » nô'ad *conj.*; « *il erre* » nodéd *H*. — « *vautour* », *mot hébr.
vocalisé comme l'a fait G*. — « *sa ruine* » pîdô *G ; « dans sa main* » b*e*yadô *H*.

---

la raison et l'excuse de péchés inévitables, qui n'interdisaient pas de se
déclarer juste devant Dieu. Éliphaz repousse cette prétention, car il songe
à des fautes graves qu'il résume dans le mot d'iniquité.
   a) Cf. **34** 7.
   b) Bildad déjà s'était appuyé sur la tradition (**8** 8-10). Mais son collègue
se montre plus rigoriste et plus nationaliste. Il se présente en effet comme
le témoin d'une tradition pure, remontant jusqu'aux ancêtres « à qui fut
donné le pays ». Il partage la conception idéalisée de l'intégrité raciale du
peuple israélite. Il semble aussi réagir contre les courants de sagesse étrangère auxquels les Sages de l'A. T., de Salomon à l'auteur de la Sagesse,
restèrent toujours ouverts.
   c) Éliphaz indique dans ce verset les deux aspects de son thème : inquié-
tude continuelle et mort prématurée. Les tourments du méchant ne sont
pas ceux d'une conscience coupable, mais les craintes de celui qui sait son
bonheur instable et sans cesse menacé. Il s'y ajoute peut-être des pressen-
timents, des avertissements surnaturels (24). Cf. Sg **17** 4-6.

L'heure des ténèbres [24] l'épouvante,
la détresse et l'angoisse se ruent sur lui,
comme un roi prêt à l'assaut.

[25] Il levait la main contre Dieu[a],
il osait braver Shaddaï !

[26] Il fonçait sur lui tête baissée,
abrité derrière un bouclier massif.

[27] Son visage s'était couvert de graisse,
ses flancs alourdis d'embonpoint.

[28] Il avait occupé des villes détruites,
habité des maisons abandonnées.

Ce qu'a édifié sa prévoyance retombera en ruines;
[29] au lieu de s'enrichir, il verra s'écrouler sa fortune
et ne couvrira plus le pays de son ombre.

[30] La flamme desséchera ses jeunes pousses,
le vent emportera sa fleur.

[31] Qu'il ne se fie pas à sa taille élevée,
car ce serait mensonge.

---

24. « *l'épouvante* » : *singulier avec* G Syr Vulg.

28. « *Ce qu'a édifié sa prévoyance* », *litt.* « *Ce qu'il a préparé pour soi* », *conj.*;
« *qui sont prêtes à* » H.

29. « *ombre* » G ; *le mot hébr., un hapax, n'est susceptible d'aucune interprétation satisfaisante.*

30. *On omet au début* : « *il n'échappera pas aux ténèbres* », *répétition du v.* 22[a]
et qui doit être une glose ou corruption d'un autre texte. — « *emportera* » *conj.*
(*litt.* « *sera emportée* » wîso'ar, *cf. Os* **13** 3); « *s'écartera* » w[e]yasûr H. — « *sa fleur* » pir[e]ḥô G ; « *sa bouche* » pîw H.

31. « *sa taille* » śî'ô *conj.*; « *vanité* » (?) šaw' H. — *On supprime* nit[e]'ah *qui peut signaler une correction.*

---

a) C'est un cas type : un être violent et tyrannique, impie endurci (25-26),
pacha faisant bonne chère (27), élevant ses constructions dans des lieux
où il a fait le vide ou qu'il a occupés sans craindre les vengeances du ciel
(28), faisant gémir sous l'oppression toute une contrée (29), favorisant la
corruption et la vénalité pour s'enrichir encore davantage (34).

³² Avant le temps se flétrira sa ramure
　　et ses branches ne reverdiront plus.
³³ Comme une vigne il secouera ses fruits verts,
　　il rejettera, tel l'olivier, sa frondaison.
³⁴ Oui, l'engeance de l'impie est stérile,
　　un feu dévore la tente de l'homme vénal.
³⁵ Qui conçoit la méchanceté engendre le malheur
　　et porte en soi un fruit de déception^a. »

De l'injustice des hommes à la justice de Dieu.

16.　　¹ JOB prit la parole et dit :

² Que de fois ai-je entendu de tels propos,
　　et quels pénibles consolateurs vous faites !
³ Y aura-t-il une fin à ces paroles en l'air ?
　　Et quelle maladie que ce besoin de répondre !
⁴ Moi aussi, je pourrais parler comme vous,
　　si votre âme était où est mon âme;
je saurais vous accabler de discours
　　en hochant la tête^b sur vous,
⁵ vous réconforter en paroles,
　　puis cesser d'agiter les lèvres.

---

32. « *se flétrira* » timmal *G Syr Vulg* ; « *sera remplie* » timmalé' *H*. — « *sa ramure* » *tiré d'un mot en surplus dans le v. précédent et lu d'après G*.
35. « *porte en soi* » takîl *conj. d'après G* ; « *prépare* » takîn *H*.
16 4. « *accabler* » 'akbîdah *conj.*; « *arranger* », « *disposer* » 'aḥbîrah *H*.
5. « *cesser* », *litt.* « *serait retenue* », *conj.*; « (*l'agitation de mes lèvres*) *retien-drait* » *H*.

---

a) Application nouvelle d'une thèse chère à Éliphaz et déjà énoncée **5** 6-7. Il la tient d'ailleurs de ses maîtres (cf. **Pr 22** 8 et aussi **Ps 7** 15). Le principe sera repris par le N. T., mais avec un élargissement eschatologique (v.g. **Ga 6** 8).
b) Geste, soit de condoléance (**Is 51** 19; **Jr 15** 5, etc.), soit de mépris ou de moquerie (**Ps 22** 8; **Si 12** 18; **Mt 27** 39).

⁶ Mais quand je parle, ma souffrance demeure,
  si je me tais, en quoi disparaît-elle *ᵃ* ?

⁷ Et maintenant, la malveillance me pousse à bout,
  car toute une bande ⁸ me harcèle *ᵇ*.

Elle se dresse contre moi en témoin à charge,
  me réplique en face par des calomnies.

⁹ Sa fureur déchire et me poursuit,
  en montrant des dents grinçantes.

Mes adversaires aiguisent sur moi leurs regards,
¹⁰ ouvrent une bouche menaçante.

Leurs outrages m'atteignent comme des soufflets;
  ensemble ils s'ameutent contre moi.

¹¹ Oui, Dieu m'a livré à des injustes,
  entre les mains des méchants, il m'a jeté *ᶜ*.

¹² Je vivais tranquille quand il m'a secoué,
  saisi par la nuque pour me briser *ᵈ*.

Il a fait de moi sa cible :
¹³ il me cerne de ses traits,

transperce mes reins sans pitié
  et répand à terre mon fiel.

---

7. « *malveillance* » : *on postule un substantif de la racine* šamat *signifiant* « *se réjouir du mal d'autrui* ». *Un nom abstrait masculin peut rendre compte du mélange déconcertant des sing. et des plur. dans cette section.* — « *une bande* » *conj.*; « *ma bande* » H.

8. « *des calomnies* » bᵉkaḥăsîm *conj.*; « *ma maigreur* » kaḥăsî H.

11. « *injustes* » *d'après* Vers.; « *gamin* » H.

---

a) Job souligne ce qui le sépare de ses consolateurs : ceux-ci n'éprouvent rien et ne s'intéressent à son cas qu'en paroles, lui souffre sans répit, qu'il parle ou qu'il se taise. Il justifie ainsi le ton de ses propos (cf. **6** 26), contre Éliphaz (cf. **15** 5-6).

b) Bien que le texte de ces vv. 7-11 soit très altéré, Job semble bien y viser ses amis.

c) Aux yeux de Job, c'est Dieu qui l'a livré à la malveillance de ses amis et qui reste l'auteur de toute son infortune.

d) Comme un animal qu'on brise contre un mur ou un rocher.

¹⁴ Il ouvre en moi brèche sur brèche,
     fonce sur moi tel un guerrier[a].

¹⁵ J'ai cousu sur ma peau un sac[b],
     roulé mon front dans la poussière.

¹⁶ Mon visage est rougi par les larmes,
     un voile d'ombre couvre mes paupières.

¹⁷ Pourtant, point de violence dans mes mains,
     et ma prière est pure[c].

¹⁸ O terre, ne couvre point mon sang[d],
     et que rien n'arrête mon cri[e].

¹⁹ Dès maintenant, j'ai dans les cieux un témoin,
     là-haut se tient mon défenseur.

²⁰ Ma clameur est mon avocat auprès de Dieu,
     tandis que devant lui coulent mes larmes.

---

20. « *Ma clameur est mon avocat* » (*litt.* « *mon interprète* ») mᵉlîşî réʾî *conj.* ;
« *Mes amis sont mes moqueurs* » mᵉlîşay réʿay *H* ; « *Que ma prière parvienne
auprès de Dieu* » *G*. — « *devant lui* » *ajouté d'après G.*

a) C'est le contraire de ce que suggérait Éliphaz, **15** 26.

b) Le sac, vêtement d'étoffe grossière ou de poil que l'on portait en
signe de deuil ou de pénitence. Au lieu de le nouer simplement autour des
reins, Job l'a « cousu sur sa peau » : il ne l'enlèvera plus.

c) Il y a un lien causal entre les deux hémistiches : c'est parce que ses
mains sont sans souillure (cf. **31** 7) que sa prière est pure. Même association d'idées **11** 13-14.

d) Le sang crie vengeance vers Dieu tant qu'il n'a pas été recouvert par
la poussière du sol (Gn 4 10; 37 26; Is 26 21; Ez 24 8). Job vient de se
comparer à un homme blessé à mort : il souhaite qu'un appel permanent
à la vengeance de sa cause subsiste : son sang sur la terre, et près de Dieu
le cri de sa prière. Celle-ci, personnifiée (cf. Ps 79 11; 88 3; 102 2; Lm 3 44),
sera près de Dieu son témoin, son avocat, son interprète. La plupart des
exégètes voient dans le « témoin »... Dieu lui-même, le Dieu de fidélité
et de bonté à qui Job, dans un sursaut d'espérance, en appellerait contre le
Dieu de colère et contre l'injustice des hommes. L'interprétation proposée,
plus directe, n'en suppose pas moins le même élan de confiance dans le
Dieu qui se doit d'exaucer la prière d'un juste. — En **19** 25 s, le défenseur
appelé par Job sera Dieu lui-même.

e) « et que... mon cri », litt. : « et qu'il n'y ait pas de lieu de repos pour
mon cri », qu'il ne trouve pas de lieu permanent sur la terre.

²¹ Qu'elle plaide la cause d'un homme aux prises avec
　　comme un mortel défend son semblable.　[Dieu,
²² Car mes années de vie sont comptées,
　　et je vais prendre le chemin sans retour*ᵃ*.

17.　¹ Mon souffle en moi s'épuise
　　　et les fossoyeurs pour moi s'assemblent.
　² Ne suis-je pas en butte à des railleurs ?
　　　et leur dureté obsède mes veilles.
　³ Place donc toi-même ma caution près de toi,
　　　puisque nul ne veut toper dans ma main*ᵇ*.
　⁴ Car tu as fermé leur cœur à la raison
　　　et aucune main ne se lève.
　⁵ Tel celui qui invite des amis à un partage,
　　　quand les yeux de ses fils languissent,

---

17 1. « *en moi* » 'immadî *ou* 'immî *conj.*; « *mes jours* » yamay *H.* — « *les fossoyeurs* » qobᵉrîm *conj.*; « *les tombes* » qᵉbarîm *H.* — « *s'assemblent* » nizeᵉ'âqû *conj.*; « *s'éteignent* » nizeᵉ'akû *H.*

2. « *railleurs* » *conj.*; « *railleries* » *H.*

3. « *ma caution* » *Syr* ; « *sois caution* » *H.*

4. « *et aucune... se lève* » lo' tarûm yadam *conj.*; *H corrompu.*

---

a) Pour l'expression cf. **10** 21 et la note. Job espère-t-il être justifié avant sa mort et souhaite-t-il que Dieu exauce vite son cri, car il est temps ? Ou bien repousse-t-il cette issue comme illusoire et n'attend-il plus que sa fin prochaine ? Il est difficile de décider. En tout cas, Job revient à la triste réalité : son cas est désespéré ici-bas; ses amis eux-mêmes le condamnent et se font ses fossoyeurs (**17** 1-2).

b) Usage juridique. Le garant, celui qui se portait caution pour quelqu'un, se substituait à lui pour arrêter la saisie et déposait une caution. Le geste de « toper dans la main » signifiait cette substitution (cf. Pr 6 1; **17** 18; **22** 26; Si **29** 14-20). Si l'on accepte la correction du texte généralement admise (cf. note critique), Job demande à Dieu de déposer lui-même une caution en se portant garant, ou bien de placer près de lui une caution valable. Mais l'application précise demeure obscure. N'est-ce qu'un souhait irréel arraché à Job par l'indifférence de ses amis ? Il n'a pas sur terre de garant et se réfugierait en Dieu. Ou bien songe-t-il à une « caution » déterminée, ses larmes ou ses cris ? A un médiateur céleste, comme ceux qu'Élihu montrera plus loin dans ce rôle (**33** 23-24) ? La première explication semble préférable, mais non décisive.

⁶ je suis devenu la fable des gens,
  quelqu'un à qui l'on crache au visage.
⁷ Mes yeux s'éteignent de chagrin,
  mes membres s'évanouissent comme l'ombre.
⁸ A cette vue, les hommes droits restent stupéfaits *a*,
  l'innocent s'indigne contre l'impie;
⁹ le juste s'affermit dans ses voies,
  l'homme aux mains pures redouble de force.
¹⁰ Allons, vous tous, revenez à la charge,
  et je ne trouverai pas un sage parmi vous !

¹¹ Mes jours ont fui, loin de mes projets,
  et les fibres *b* de mon cœur sont rompues.
¹² « La nuit, dit-on, fera place au jour;
  elle est proche la lumière qui chasse les ténèbres. »
¹³ Mon espoir, c'est d'habiter le shéol,
  d'étendre ma couche dans les ténèbres.
¹⁴ Je crie au sépulcre : « Tu es mon père ! »
  à la vermine : « C'est toi ma mère et ma sœur ! »

---

6. « *la fable* » *Vers.*; « *pour dominer* » *H.*
7. « *s'évanouissent* » kalîm *conj.*; « *tous* » kullam *H.*
10. *Après* « *revenez* » *H ajoute* « *et venez* »; *omis par G.*
11. « *loin de* » min *ajouté* (*G suppose une préposition*); *H fait de* « *projets* » *le sujet du verbe suivant.*
12. « *qui chasse* » mᵉpannèh *conj., cf. So* **3** 15; « *en face des ténèbres* » *ou* « *plus que les ténèbres* » mipᵉnê *H.*

---

a) L'expression désigne souvent dans la Bible le saisissement que provoque l'exercice des jugements divins contre des coupables (et aussi, Is **52** 14, le sort du Serviteur souffrant). Ainsi les amis de Job : à la vue de ses maux, ils s'édifient sur la justice de Dieu, selon les idées reçues, plutôt que de comprendre son cas exceptionnel. Job raille cette sagesse convenue (12 s). Le v. 12 vise spécialement une phrase de Çophar (**11** 17) et pour le sens **8** 6-7 (Bildad) et **5** 17-26 (Éliphaz).
b) « Fibres » ; sens incertain.

¹⁵ Où donc est-elle, mon espérance ?
    et mon bonheur, qui l'aperçoit ?
¹⁶ Vont-ils descendre avec moi au shéol,
    sombrer de même dans la poussière ?

La colère ne peut rien contre l'ordre de la justice.

18.   ¹ BILDAD DE SHUAH prit la parole et dit :

² Quand mettras-tu un frein à ces discours ?
    Crois-tu que nous serons en retard pour parler ?
³ Pourquoi nous considères-tu comme des bêtes,
    passons-nous pour des brutes à tes yeux[a] ?
⁴ Toi qui te déchires dans ta fureur,
    la terre à cause de toi deviendra-t-elle déserte,
    les rochers quitteront-ils leur place ?
⁵ La lumière du méchant doit s'éteindre,
    sa flamme ardente ne plus briller[b].
⁶ La lumière s'assombrit sous sa tente,
    la lampe qui l'éclairait s'éteint.
⁷ Ses pas vigoureux se rétrécissent[c],
    il trébuche dans ses propres desseins.

---

15. « *mon bonheur* » *G ;* « *mon espérance* » *H.*
16. « *avec moi* (?) » habᵉyadî *d'après G ;* « *aux verrous (du shéol)* » badê *H.*
— « *sombrer* » *G ;* « *le repos* » *H.*
18 2. « *mettras-tu* » *G ; pluriel H.* — « *Crois-tu... parler* » tabîn kî 'éḥarnû
dabber *conj.*; « *Réfléchissez et après nous parlerons* » tabînû wᵉ'aḥar nidabber *H.*
    3. « *passons-nous pour des brutes* » : *on vocalise* neṭammônû *avec 3 mss hébr.*;
« *sommes-nous impurs* » niṭᵉmînû *Ḥ.*

---

a) Allusion à **16** 9-10 et **12** 7-8.
b) La lumière, en contraste avec les ténèbres, symbolise fréquemment
dans la littérature sapientielle une existence épanouie dans le bonheur.
Cette « lumière » inclut la connaissance de la voie à suivre, tandis que les
ténèbres égarent (cf. Pr **4** 18-19; **24** 20). La lampe (cf. **29** 3) évoque une
maison habitée et joyeuse (Jr **25** 10).
c) L'homme heureux, sûr de sa route, allonge le pas; le malheureux

⁸ Car ses pieds le jettent dans un filet
　　et il s'avance parmi les rets.
⁹ Un lacet le saisit au talon
　　et le piège se referme sur lui.
¹⁰ Le nœud qui doit le prendre est caché en terre,
　　une trappe l'attend sur le sentier.
¹¹ Il est la proie de terreurs obsédantes,
　　qui le suivent pas à pas*ᵃ*.
¹² La faim devient sa compagne,
　　le malheur se tient à ses côtés.
¹³ Le mal dévore sa peau,
　　le Premier-Né de la Mort*ᵇ* ronge ses membres.
¹⁴ On l'arrache à l'abri de sa tente
　　pour le traîner vers le Roi des frayeurs*ᶜ*.
¹⁵ La Lilith*ᵈ* s'y installe à demeure
　　et l'on répand du soufre sur son bercail.

---

12. « *La faim* » *conj.*; « *est affamée* » H. — « *sa compagne* » 'ittô *conj.*; « *sa force* » (*ou* « *son péché* ») 'onô H.

13. « *Le mal dévore* » yé'akél bidway *conj.*; « *Il dévore des parties* » yo'kal baddê H.

15. « *Lilith* » *conj.*, *d'après le mot* laylâh (« *nuit* ») *supposé par un ms hébr. et addition hexapl.*; « *(tu habiteras sa tente) qui n'est plus à lui* » H.

---

tâtonne et trébuche (cf. Ps **18** 37; Pr **4** 12). Suit une énumération minutieuse de tous les engins qui servaient à prendre au piège les oiseaux et les bêtes. Cf. Ps **35** 7-8; **91** 3; **124** 7; **140** 6.

a) Cf. **15** 21; Sg **17** 10-14.

b) Ce doit être la maladie considérée comme la plus grave. Chez les Assyro-Babyloniens la peste personnifiée était le vizir ou la fille de la reine des enfers. Bildad doit songer à ce fléau et fait peut-être allusion à un mal semblable chez Job.

c) Personnage de la mythologie orientale et grecque, dénommé Nergal, Pluton, etc. Le texte laisse supposer qu'il commandait à des esprits infernaux, sortes de Vengeances ou de Furies; ils s'acharnent déjà sur les criminels de leur vivant, pour les mener vers leur « Roi » (cf. **15** 20 note).

d) Autre personnage des croyances populaires (bien que le texte soit incertain, cf. note critique). Les Babyloniens en parlaient comme d'un démon femelle. D'après Is **34** 14, c'est un spectre nocturne qui habite les ruines et les lieux déserts. Le soufre, dans la Bible, est un agent ou un symbole de stérilité (cf. Dt **29** 22; Is **34** 9; Ps **11** 6) et peut-être, ici, un désinfectant.

¹⁶ En bas ses racines se dessèchent,
    en haut se flétrit sa ramure.
¹⁷ Son souvenir disparaît du pays,
    son nom s'efface dans la contrée*ᵃ*.
¹⁸ Poussé de la lumière aux ténèbres,
    il se voit banni de la terre.
¹⁹ Il n'a ni lignée ni postérité parmi son peuple,
    aucun survivant en ses lieux de séjour*ᵇ*.
²⁰ Sa fin tragique frappe de stupeur l'Occident
    et l'Orient est saisi d'effroi.
²¹ Point d'autre sort pour les maisons de l'impiété,
    pour la demeure de celui qui ne connaît pas Dieu.

Le triomphe de la foi dans l'abandon de Dieu et des hommes.

19. ¹ JOB prit la parole et dit :

² Ne cesserez-vous pas de me tourmenter,
    de m'écraser par vos discours ?
³ Voilà dix fois que vous m'insultez
    et me malmenez sans pudeur.
⁴ Même si j'ai fait fausse route,
    et que je persiste dans mon égarement*ᶜ*,
⁵ en vérité, quand vous pensez triompher de moi,
    prouver ma culpabilité,
⁶ sachez que c'est Dieu qui m'opprime
    et qui m'enveloppe de son filet*ᵈ*.

---

a) Cf. Ps **9** 6; **34** 17; Pr **10** 7.

b) Cf. Ps **37** 28.

c) Job pèse avec soin ses mots : péchés commis par égarement (cf. note sur **6** 24), intempérances de langage qu'excuse sa souffrance. Grec ajoute précisément : « en prononçant des mots qui ne conviennent pas, avec des paroles qui s'égarent et sont intempestives ».

d) Et non pas Job qui se prend lui-même dans le filet de ses fautes (cf. **18** 8).

⁷ Si je crie à la violence, pas de réponse;
   si j'en appelle, point de jugement.

⁸ Il a dressé sur ma route un mur infranchissable,
   mis des ténèbres sur mes sentiers[a].

⁹ Il m'a dépouillé de ma gloire,
   il a ôté la couronne de ma tête[b].

¹⁰ Il me sape de toutes parts et je disparais;
   il déracine comme un arbuste mon espérance[c].

¹¹ Enflammé de colère contre moi,
   il me considère comme son ennemi[d].

¹² Ensemble ses troupes sont arrivées;
   elles ont frayé vers moi leur chemin d'approche,
   mis le siège autour de ma tente.

¹³ Mes frères me tiennent à l'écart,
   mes relations s'appliquent à m'éviter[e].

¹⁴ Mes proches et mes familiers ont disparu,
   les hôtes de ma maison m'ont oublié.

¹⁵ Pour mes servantes, je suis un étranger,
   un inconnu à leurs yeux.

---

19 11. « *comme son ennemi* » *Vers. Targ* ; « *comme ses ennemis* » *H*.
   13. « *me tiennent à l'écart* » *G Syr* ; « *il a écarté de moi* » *H*.
   14. « *les hôtes de ma maison* » *emprunté au début du v.* 15.

---

a) Cf. Lm **3** 7-9, qui présente tant de ressemblances avec les plaintes de Job et qui, à notre avis, s'en inspire.
   b) Ces vêtements de gloire, aussi bien que la couronne qui orne la tête (cf. Is **61** 3) désignent le rayonnement extérieur de la justice et de la prospérité d'un homme, cette dignité, cette respectabilité qui lui attire la considération. Cf. **29** 14.
   c) L'arbre qui garde ses racines peut renaître (**14** 7 s; **17** 15) : la mort met fin à l'espoir de l'homme.
   d) C'est la plus grande souffrance d'un homme qui a vécu dans l'amitié de Dieu. « Se croire rejeté de Dieu, c'est une des tribulations dont Job se plaignait le plus » (saint Jean de la Croix). — Cf. **33** 10.
   e) Énumérations semblables, mais plus courtes dans Ps **38** 12; **69** 9; **88** 9, 19.

¹⁶ Si j'appelle mon serviteur, il ne répond pas,
et je dois moi-même le supplier.

¹⁷ Mon haleine répugne à ma femme,
mes propres frères^{*a*} me trouvent fétide.

¹⁸ Même les gamins me témoignent du mépris :
si je me lève, ils daubent sur moi.

¹⁹ Tous mes intimes m'ont en horreur,
mes préférés se sont retournés contre moi.

²⁰ Sous ma peau, ma chair tombe en pourriture
et mes os se dénudent comme des dents.

²¹ Pitié, pitié pour moi, vous mes amis !
car c'est la main de Dieu qui m'a frappé.

²² Pourquoi vous acharner sur moi comme Dieu lui-même,
sans vous rassasier de ma chair^{*b*} ?   [même,

²³ Oh ! je voudrais qu'on écrive mes paroles,
qu'elles soient gravées en une inscription^{*c*},

²⁴ avec le ciseau de fer et le stylet^{*d*}
sculptées dans le roc pour toujours !

---

20. « *ma chair... pourriture* » *d'après G.* — « *et mes os... dents* » wᵉˤasmî hitmarṭah kᵉšinnay *conj.*; ˤasmî wa'etmalṭah bᵉˤôr šinnay *H.* — *H pour ce v.* : « *A ma peau et à ma chair adhèrent mes os et je m'échappe avec la peau de mes dents...* »

24. « *et le stylet* » wuṣippôrén *d'après Jr* **17** 1 (*ressemblance entre ṣâdé et ˤain dans l'écriture carrée*); « *et du plomb* » wᵉˤoparèt *H.*

---

a) Litt. : « les fils de mon ventre ». La formule est insolite pour désigner les enfants de Job. Elle doit signifier plutôt les enfants du même sein (cf. aussi **3** 10).

b) L'expression évoque des fauves acharnés sur une proie. Elle s'éclaire aussi par l'assyrien et l'araméen où la même locution figurée signifie « calomnier » (cf. Dn **3** 8; **6** 25). Elle se retrouve dans Ps **27** 2.

c) « Inscription » : le mot *sépèr* (livre) peut avoir ce sens, qui paraît le plus ancien.

d) Il semble que pour graver sur une matière dure, on se servait de deux sortes de ciseaux : le premier pour dégrossir; le second, stylet ou burin, pour finir. Selon l'interprétation usuelle, le second mot désignerait le plomb qu'on mélangeait au fer ou qu'on coulait dans des inscriptions; d'autres songent à la magnésite.

²⁵ Je sais[a], moi, que mon Défenseur[b] est vivant,
   que lui, le dernier, se lèvera sur la terre[c].
²⁶ Après mon éveil, il me dressera près de lui
   et, de ma chair, je verrai Dieu.

---

26. *H porte, pour 26ª : « et derrière (ou : après, après que) ma peau... cela »,
mais les deux premiers mots peuvent signifier également : « après mon veiller »,
« après le fait de m'éveiller ». Le verbe (...) est rattaché le plus souvent à une racine
signifiant : « abattre, faire tomber, détruire », en lisant une forme plur. (Piel) ou
sing. (Niphal); d'où : « après que ma peau sera tombée, aura été détruite ». Ce
verbe est exceptionnel dans l'A. T., tandis que le même radical consonantique,
signifiant alors « se mouvoir en cercle », est très fréquent (à l'Hiphil) au sens de :
« entourer, encercler, envelopper » (cf. Jb 19 6), sens qu'ont retenu ici Vulg et
Syr; mais on doit supposer alors une forme passive-réfléchie (Niph. de nqp ou
de qwp), non attestée ailleurs, et faire de « ma chair » le sujet du verbe. La traduction littérale de 26ᵇ est : « et de ma chair (ou : de mon corps) je verrai Dieu »,
mais : la première expression peut s'interpréter, soit : « dans ma chair » soit :
« hors de ma chair » ou « sans ma chair ». Avec l'ensemble des critiques, nous pensons que le texte est trouble ou corrompu. La traduction adoptée suppose, pour 26ª,
la lecture : weᵃḥar 'urî zᵉqapani (ou : yizqᵉpéní) 'ittô au lieu de weᵃḥar 'ôrî
niqpû-zo't; et pour 26ᵇ, la préposition min, en relation avec le verbe « voir » doit
signifier normalement : « de, à partir de ». La principale correction au texte mas-
sorétique (s'inspirant d'une conjecture proposée par E. Dhorme) suppose une
métathèse accidentelle des consonnes n/z; on admet encore que le mot 'urî a été lu
« peau » sous l'influence du mot suivant « chair ». On a suggéré récemment, au lieu
d'une altération du texte consonantique, une simple transposition de mots qui ne
nous paraît pas justifiée suffisamment dans le détail.*

---

a) Les versions pour ces trois versets. Grec : « Je sais qu'il est éternel
celui qui doit me délivrer, sur terre (pour) restaurer (ἀναστῆσαι) ma peau
qui souffre cela. Car c'est de la part du Seigneur qu'a été accompli pour moi
ce que je connaîtrai moi-même, ce que mon œil a vu et non pas un autre. »
— Syr : « Je sais que mon rédempteur est vivant et qu'à la fin il apparaîtra
sur terre. Et ces choses entourent et ma peau et ma chair. Si mes yeux
voient Dieu, ils verront la lumière. » — Vulg : « Car je sais que mon
rédempteur vit et qu'au dernier jour je ressusciterai de la terre, et, de nouveau, je serai revêtu de ma peau; et dans ma chair, je verrai mon Dieu;
c'est lui que je verrai, moi-même et non pas un autre. »

b) Le mot « goél » imparfaitement rendu par « défenseur » est un terme
technique du droit israélite. Il désigne un parent, en général le plus proche,
à qui incombent certaines obligations. Il est le vengeur du sang (2 S 14 11;
Dt 19 6-12); il exerce le droit de rachat sur des biens (Lv 25 25; Rt 4 4-6)
ou délivre de l'esclavage (Lv 25 48). On l'applique souvent à Dieu, qui
délivra son peuple de la servitude d'Égypte (Ex 6 6; 15 13) ou de l'exil
(Is 43 14; 44 6, 24; etc.) et qui le venge, en vertu de l'alliance. Dieu est

Voir note *c*, à la page suivante.

²⁷ Celui que je verrai sera pour moi,
    celui que mes yeux regarderont ne sera pas un
    Et mes reins en moi se consument...   [étranger.
²⁸ Lorsque vous dites : « Comment l'accabler,
    quel prétexte trouverons-nous en lui ? »
²⁹ craignez pour vous l'épée,
    car la colère s'enflammera contre les fautes,
    et vous saurez qu'il y a un jugement.

L'ordre de la justice est sans exceptionᵃ.

20.   ¹ ÇOPHAR DE NAAMAT prit la parole et dit :

² Aussi mes pensées s'agitent pour répondre,
    de là cette impatience qui me possède.
³ J'ai subi une leçon qui m'outrage,
    mais mon esprit me souffle la réplique.
⁴ Ne sais-tu pas que, de tout temps,
    depuis que l'homme fut mis sur terre,
⁵ l'allégresse du méchant est brève
    et la joie de l'impie ne dure qu'un instant ᵇ.

---

29 « *s'enflammera contre* » tiḥar bᵉ *d'après G ; H ne donne pas de sens.*

---

encore le Goél des individus en tant qu'il les délivre de la mort (Ps **103** 4;
Lm **3** 58), qu'il défend les droits des opprimés, spécialement des orphelins
(Pr **23** 10-11; Jr **50** 34). Enfin ce terme fut appliqué au Messie par le
judaïsme rabbinique, et saint Jérôme, qui le traduit par « mon Rédempteur »
est sans doute sous cette influence.

   c) Le verbe est aussi un terme juridique, s'appliquant souvent au témoin
ou au juge (cf. **31** 14; Dt **19**, 16; Is **2** 19, 21; **23** 10; Ps **12** 6). L'expression :
« le dernier » rappelle Is **44** 6; **48** 12 (en parallélisme avec Goél). — « sur
la terre » peut désigner la terre ou la poussière de la tombe (cf. **7** 21; **10** 9;
17 16; **21** 26), bien que cette portée du mot hébreu soit exceptionnelle en
Job. — Sur le sens des vv. 26-27 et l'interprétation d'ensemble, cf. Introduction, Appendice I.

   a) Cf. **27** 13-23.
   b) Même idée et comparaisons analogues Ps **37** et **73**.

⁶ Même si sa taille s'élevait jusqu'aux cieux,
     si sa tête touchait la nue[a],

⁷ comme un fantôme il disparaît à jamais,
     et ceux qui le voyaient disent : « Où est-il ? »

⁸ Il s'envole comme un songe[b] insaisissable,
     il s'enfuit comme une vision nocturne.

⁹ L'œil habitué à sa vue ne l'aperçoit plus,
     à sa demeure il devient invisible.

¹⁰ Ses fils devront indemniser les pauvres,
     ses enfants restituer ses richesses.

¹¹ Ses os étaient pleins d'une vigueur juvénile :
     la voilà terrassée avec lui[c].

¹² Le mal était doux à sa bouche[d] :
     il l'abritait sous sa langue,

¹³ il l'y gardait longuement,
     le retenait au milieu du palais.

¹⁴ Cet aliment dans ses entrailles se corrompt,
     devient au-dedans du fiel d'aspic[e].

¹⁵ Il doit vomir les richesses englouties
     et Dieu lui fait rendre gorge.

---

20 8. « *s'enfuit* » *d'après Vers.*; « *est mis en fuite* » *H.*

    10. « *ses enfants* » yaldéhû *conj.*; « *ses mains* » wᵉyadayw *H.*

---

a) Cf. Ps **37** 35. La Bible fait mainte allusion à l'orgueil titanesque manifesté par l'homme aux origines (cf. Ez **28** 2, 17; **31** 6-10; Is **14** 13-14; Gn **11** 4). Cette tradition, de caractère plutôt mythologique, reste parallèle à celle de Gn **3** : elle s'accorde avec elle pour expliquer par l'orgueil la chute de l'homme.

b) Cf. Ps **73** 20 et Is **29** 8.

c) Le méchant doit périr d'une mort prématurée.

d) Comme une friandise que l'on suce lentement, avec délices, mais qui est un poison, tel est le plaisir cynique qu'éprouve l'impie à s'enrichir par l'injustice. — Cf. Pr **20** 17.

e) Le « venin d'aspic » (cf. v. 16) doit s'entendre probablement d'une plante. Les Anciens croyaient que la vipère portait son venin sur la langue. Cf. Dt **32** 32-33.

¹⁶ Il suçait du « venin d'aspic » :
     la langue de la vipère le tue.

¹⁷ Il ne connaîtra plus les ruisseaux d'huile,
     les torrents de miel et de laitage[a].

¹⁸ Il perdra cette mine réjouie à percevoir ses gains,
     cet air satisfait quand les affaires sont bonnes.

¹⁹ Parce qu'il a détruit[b] les cabanes des pauvres,
     volé des maisons au lieu d'en bâtir,

²⁰ parce que son appétit s'est montré insatiable,
     ses trésors ne le sauveront pas;

²¹ parce que nul n'échappait à sa voracité,
     sa prospérité ne durera pas[c].

²² En pleine abondance, la disette le saisira,
     la misère, de toute sa force, fondra sur lui,

²³ Dieu lâche sur lui l'ardeur de sa colère,
     lance contre sa chair une pluie de traits[d].

---

17. « *d'huile* » yiṣᵉhar *conj.*; « *des fleuves* » nahărê H.

18. « *mine réjouie* » yablig *conj.*; « *avale* » yibla' H. — « *ses gains* » yᵉgi'ô *conj.*; « *(fruit de sa) peine* » yaga' H.

19. « *cabanes* » 'êzèb *conj. d'après* G ; « *il a abandonné* » 'azab H.

20. « *ses trésors ne le sauveront pas* » bᵉmaṭmonô lo' yimmalêṭ *conj.*; « *par son désir il ne sauvera pas* » baḥămûdô lo' yᵉmallêṭ H.

23. *H ajoute au début* « Pendant qu'il emplit son ventre »; *omis par* G. *Peut-être glose.* — « *traits* » 'olmayw *conj.*; « *sur lui* » 'alêmô H.

---

a) Le *leben*, lait caillé encore consommé couramment aujourd'hui chez les Arabes. — Cf. **29** 6.

b) Formule des considérants d'une condamnation, fréquemment imitée par le style prophétique.

c) L'ordre des vv. 20-21 semble bouleversé. G a connu un autre ordre. On attendrait après *'al kén* deux hémistiches de même sens.

d) Les mêmes images décrivent le châtiment collectif d'Israël ou des autres peuples. Le Dieu guerrier manie les armes de fer, celles du corps à corps, tend l'arc et perce ses adversaires. Cf. Dt **32** 41; Sg **5** 18-20, etc. Il s'agit ici de maladies ou de fléaux mortels. Les terreurs sont l'effroi soudain, la panique devant une mort imminente, peut-être amplifiée par l'intervention d'agents surnaturels (cf. notes sur **15** 21; **18** 14). Les ténèbres sont celles du shéol, pressenties dans celles de l'Égypte (cf. Ex **10** 21-22). Elles envahissent déjà l'agonisant (cf. Ps **88** 7). Dieu lance encore sa foudre (cf. **1** 16; **15** 34; Nb **16** 35; Dt **32** 22; Jr **17** 4; **15** 14). Les cieux dévoilent

²⁴ S'il fuit devant l'arme de fer,
l'arc d'airain le transperce.
²⁵ Une flèche sort de son dos,
une pointe étincelante de son foie.
La réserve des terreurs fond sur lui,
²⁶ toutes les ténèbres l'attendent en secret.
Un feu qu'on n'allume pas le dévore
et consume ce qui reste sous sa tente.
²⁷ Les cieux dévoilent son iniquité,
et la terre se dresse contre lui.
²⁸ Une inondation balaie sa demeure,
emportée au jour de la colère.
²⁹ Tel est le lot que Dieu réserve au méchant,
l'héritage que Dieu lui destine[a].

Le démenti des faits.

21. ¹ Job prit la parole et dit :

² Écoutez, écoutez mes paroles,
accordez-moi cette consolation.
³ Laissez-moi placer un mot;
quand j'aurai fini, libre à vous de railler.

---

25. « *Une flèche* » šèlaḥ *d'après G* ; « *Il a tiré* » šalap *H*. — « *de son dos* » : on lit avec Syr le suffixe masculin ; H féminin. — « *La réserve* » s⁰pûnîm *tiré de* 26ᵃ, *où il est en surplus tautologique.*
26. « *l'attendent en secret* », litt. « *cachées pour lui* » conj.; « *cachées* » H.
28. « *balaie* » yagol *conj.*; « *partira* (?) » yigèl *H.*
21 3. « *à vous* » : *pluriel Syr Vulg et d'après G ; singulier H.*

---

ainsi l'iniquité de l'homme. La terre, secouée par la colère divine, s'associe à cette destruction, comme lors du jugement eschatologique. Enfin l'inondation, analogue au Déluge, balaie la demeure de l'impie (même association de tremblements de terre et de l'ouverture des écluses d'En-Haut dans Is **24** 18).
  a) Cf. **27** 13.

⁴ Est-ce que moi, je m'en prends à un homme ?
    Est-ce sans raison que je perds patience[a] ?
⁵ Prêtez-moi attention : vous serez stupéfaits,
    et vous mettrez la main sur votre bouche[b].
⁶ Moi-même, quand j'y songe, je suis épouvanté,
    ma chair est saisie d'un frisson.

⁷ Pourquoi les méchants restent-ils en vie,
    vieillissent-ils, alors que grandit leur puissance[c] ?
⁸ Leur postérité devant eux s'affermit
    et leurs rejetons sous leurs yeux s'accroissent.
⁹ La paix de leurs maisons n'a rien à craindre,
    la verge[d] de Dieu les épargne.
¹⁰ Leur taureau féconde à coup sûr,
    leur vache met bas sans avorter.
¹¹ Ils laissent courir leurs gamins comme des brebis,
    leurs enfants bondir comme des cerfs.
¹² Ils chantent avec harpes et tambourins,
    se réjouissent au son de la flûte[e].
¹³ Leur vie s'achève dans le bonheur,
    ils descendent en paix au shéol.

---

8. « *s'accroissent* » : *on rattache le dernier mot du* 8ᵃ *à* 8ᵇ *et on le lit* ʿomdîm, *avec le sens de venir à l'existence* (cf. Is **48** 13 ; Ps **33** 9 ; **119** 90) ; « avec eux » H.
11. « *comme des cerfs* » *addition conjecturale.*
13. « *ils descendent* » yéḥatû *Vulg Syr* ; « ils sont effrayés » yéḥattû H.

---

a) Cf. **6** 3, 26 ; **16** 4-6.
b) Le geste expressif du silence arraché par un spectacle qui frappe de stupeur, rend vaine ou imprudente toute parole (cf. **29** 9 ; **40** 4 ; **18** 19 ; Mi **7** 16).
c) Jérémie, déjà, avait posé à Dieu cette question (Jr **12** 1-2). C'était un scandale pour les esprits plus exigeants ou les âmes moins religieuses (v.g. Ps **73** 10-12 ; Ml **3** 15, 18-19).
d) Les fléaux et les maux de toute sorte que Dieu envoie.
e) Ces instruments accompagnaient les fêtes joyeuses et les banquets (cf. Is **5** 12 ; Am **6** 5).

¹⁴ Eux, pourtant, disaient à Dieu : « Écarte-toi de nous,
connaître tes voies ne nous plaît pas *ᵃ* !

¹⁵ Qu'est-ce que Shaddaï pour que nous le servions,
quel profit pour nous à l'invoquer ? »

¹⁶ Ne tenaient-ils pas leur bonheur en main,
sans que Dieu ait place à leurs conseils ?

¹⁷ Voit-on souvent *ᵇ* la lampe du méchant s'éteindre,
le malheur fondre sur lui,
la fureur divine détruire ses biens;

¹⁸ le vent le chasser comme une paille,
un tourbillon l'emporter comme la bale ?

¹⁹ Dieu se réserverait de le punir dans ses enfants *ᶜ* ?
Mais qu'il soit donc châtié lui-même et qu'il le

²⁰ Que, de ses yeux, il assiste à sa ruine,   [sente !
qu'il boive à la fureur de Shaddaï !

²¹ Que peut lui faire, après lui, le sort de sa maison,
quand la série de ses mois sera tranchée ?

---

16. « *sans que... conseils* » : *litt.* « *et le conseil des méchants se tient loin de moi* »;
« *moi* » *corrigé en* « *lui* ».

17. « *détruire ses biens* », *litt.* « *ses biens détruits* » yᵉḥubbǎl ḥèlqo' *conj.*;
« *détruit-il les méchants ?* » *ou* « *partage-t-il des lots ?* » ḥǎbalîm yᵉḥalléq *H*.

20. « *sa ruine* » pîdô *Vers.*; *H* kidô *corrompu*.

---

a) Le juste cherche à connaître les voies de Dieu (Ps **25** 4), à vivre en
sa présence (v.g. Ps **16** 11). Eux, ayant tout à souhait, disposent de leur
bonheur (16), déclarent cyniquement n'avoir aucun besoin de servir Dieu
(cf. Ml **3** 14-15), et le tiennent à l'écart de leurs délibérations (cf. Ps **1** 1).

b) La question est un écho ironique à des propos de Bildad (**18** 5ᵃ;
20 22, 26-28). La question suivante (18), d'après certains, reprendrait **20** 7
(texte corrigé : « comme la bale il disparaît à jamais »). Job semble plutôt
rapporter en des formules reçues la pensée de ses amis. Cf. Ps **1** 4.

c) Cette opinion ancienne et autorisée (Ex **34** 7; Dt **5** 9), corrigée plus
tard (Dt **24** 16; Jr **31** 29; Ez **18**), était encore admise par les contemporains du Christ (Mt **27** 25; Jn **9** 1-3). Job en montre l'insuffisance : l'impie
n'en souffrira pas et n'en saura rien (cf. **14** 21-22). Ses idées sur la condition
du shéol et son ignorance sur les rétributions d'outre-tombe n'ont donc
pas changé.

²² Mais donne-t-on à Dieu des leçons de sagesse,
à Celui qui juge les êtres d'en-haut^a ?

²³ Tel encore^b meurt en pleine vigueur,
au comble du bonheur et de la paix,

²⁴ les flancs chargés de graisse
et la moelle de ses os toute humide.

²⁵ Et tel autre périt l'amertume dans l'âme,
sans avoir goûté au bonheur.

²⁶ Ensemble, dans la poussière, ils se couchent,
et la vermine les recouvre.

²⁷ Oh ! je sais bien quelles sont vos pensées,
vos réflexions perfides sur mon compte.

²⁸ « Qu'est devenue, dites-vous, la maison du grand
                                          [seigneur,
où est la tente qu'habitaient des méchants ? »

²⁹ N'interrogez-vous pas les voyageurs,
méconnaissez-vous les faits qu'ils citent ?

³⁰ « Le méchant, épargné pour le jour du désastre,
est emporté au jour des fureurs^c » ?

³¹ Mais qui donc lui reproche en face sa conduite,
et lui rend ce qu'il a fait ?

---

24. « *les flancs* » *Syr ; H obscur.* — « *graisse* » *G Syr Vulg ;* « *lait* » *H.*
30. « *est emporté* » *conj.; pluriel H.*

---

a) Glose d'un scribe scandalisé, reprise ironique d'une affirmation des amis de Job, ou, au contraire, réflexion de Job ? Nous préférons cette dernière interprétation. Les voies de Dieu ne sauraient être pénétrées par l'intelligence de l'homme.

b) Autre fait déroutant : le caprice selon lequel la mort frappe les conditions les plus diverses.

c) Deux des expressions qui désignent ailleurs un jugement de Dieu, prélude du jugement final. Cf. Dt **32** 35; Jr **18** 17; Ab 13; et Jb **20** 28; So **1** 15, 18; Ez **7** 19; Pr **11** 4.

³² Il est emporté au cimetière,
   où l'on veille sur son tertre[a].
³³ Les mottes du ravin lui sont douces,
   et, derrière lui, toute la population défile.
³⁴ Que signifient donc vos vaines consolations ?
   Et quelle tromperie que vos réponses !

III. Troisième cycle de discours

Dieu ne châtie qu'au nom de la justice.

22.   ¹ Éliphaz de Témân prit la parole et dit :

² Un homme peut-il être utile à Dieu,
   quand le sage n'est utile qu'à soi ?
³ Shaddaï est-il intéressé par ta justice,
   tire-t-il profit de ta conduite intègre[b] ?
⁴ Serait-ce à cause de ta piété qu'il te corrige
   et qu'il entre en jugement avec toi ?
⁵ N'est-ce pas plutôt pour ta malice multiple,
   pour tes iniquités sans fin ?
⁶ Tu as exigé[c] de tes frères des gages injustifiés,
   dépouillé de leurs vêtements ceux qui sont nus;

---

33. *Le texte ajoute : « et devant lui une foule innombrable ». Ce doit être une glose, ajoutée pour quelqu'un qui a compris « derrière lui » au sens temporel.*

---

a) D'autres interprètent : « où il veille sur son tertre », sous forme de stèle, statue, ou par une inscription menaçant les profanateurs.
b) Cf. **35** 7; Lc **17** 7-10.
c) Le catalogue de fautes qui suit, dressé avec un *a priori* déconcertant, est pourtant remarquable par son insistance sur les manquements à la justice et à la charité envers le prochain, fût-ce par omission. Il rappelle ainsi les prophètes qui font passer ces obligations avant la fidélité aux préceptes cultuels. On relève spécialement des réminiscences d'Is **58**. Job s'élèvera au même niveau moral pour faire son apologie (**31**; cf. **29** 11-17). Cf. par exemple, sur 6ᵃ, Ex **22** 25-26; sur 6 et 7, Ez **18** 7; Is **58** 7; Mt **25** 42 s;

⁷ omis de rafraîchir l'homme altéré
et refusé le pain aux affamés;
⁸ réduit à rien la terre du pauvre,
pour y installer ton favori;
⁹ renvoyé les veuves les mains vides
et broyé le bras des orphelins.
¹⁰ Voilà pourquoi des filets *a* t'enveloppent
et des terreurs soudaines t'épouvantent.
¹¹ La lumière est devenue ténèbre et t'aveugle,
et la masse des eaux te submerge *b*.

¹² Dieu n'est-il pas au plus haut des cieux,
ne voit-il pas la tête des étoiles *c* ?
¹³ et parce qu'il est là-haut tu as dit : « Que connaît
Discerne-t-il à travers la nuée sombre ? [Dieu ?
¹⁴ Les nuages sont pour lui un voile opaque
et il circule au pourtour des cieux *d*. »

22 8. « *réduit... pauvre* » : *on lit d'après* G ra's zᵉᶜér lô ha'arèṣ; « *et l'homme à bras, à lui la terre* » (*le mot signifiant* « *bras* » *doit avoir été introduit sous l'influence de* 9ᵇ) wᵉ'is zᵉro'a ha'arèṣ H.
9. « *broyé* » *Vers.*; « *étaient broyés* » H.
11. « *La lumière... ténèbre* » *d'après* G ; « *Ou bien l'obscurité* » H.
12. « *ne voit-il pas* » *conj.*; « *et vois* » H.
13. « *parce qu'il est là-haut* » : *on insère ici les deux derniers mots du v. précédent, sous la forme* kî ram hû'. *Mais il s'agit probablement d'une glose explicative.*

sur 9, l'apologie de Job (**31** 16 et 21). « Broyer le bras » (v. 9), c'était rendre quelqu'un impuissant à faire prévaloir ses droits.
a) Cf. **19** 6 (Job) et **18** 8-11 (Bildad).
b) Cf. Ps **69** 2-3 : les « eaux » ont un symbolisme parallèle à celui des ténèbres. Comme contraste à ces ténèbres cf. Is **58** 10-11.
c) Peut-être le point culminant du ciel étoilé. — Dans ces vv. 12-17, Éliphaz fait à Job un procès de tendances. Job n'a pas nié l'omniscience divine. Éliphaz déduit cette négation des déclarations de Job : si Dieu reste indifférent, c'est qu'il ne discerne rien. Et il prête à son ami les sarcasmes des impies (cf. Ps **73** 11; Is **29** 15; Jr **23** s). L'auteur semble transposer une argumentation analogue d'Is **40** 26-27.
d) Le cercle de l'horizon, qui marque les confins de la zone céleste, le domaine de Dieu (cf. Pr **8** 27).

¹⁵ Veux-tu donc suivre la route antique
    que foulèrent les hommes pervers*a* ?
¹⁶ Ils furent enlevés avant le temps
    et un fleuve noya leurs fondations.
¹⁷ Car ils disaient à Dieu : « Reste loin de nous !
    Que peut nous faire Shaddaï ? »
¹⁸ Et lui comblait de biens leurs maisons,
    tandis que les méchants l'écartaient de leurs
                               [conseils.
¹⁹ Au spectacle de leur chute, les justes se réjouissent,
    et l'homme intègre se moque d'eux :
²⁰ « Comme elle est réduite à rien, leur grandeur !
    et quel feu a dévoré leur abondance ! »

²¹ Allons ! Réconcilie-toi avec lui et fais la paix*b* :
    ainsi ton bonheur te sera rendu.
²² Recueille de sa bouche la doctrine
    et place ses paroles dans ton cœur.
²³ Si tu reviens à Shaddaï en humilié,
    si tu éloignes de tes tentes l'injustice,
²⁴ si tu estimes l'or comme de la poussière
    et l'Ophir*c* comme les cailloux du torrent,

---

17. « *nous* » *G Syr* ; « *leur* » *H.*
20. « *leur grandeur* » : *on lit avec Vers. et Targ le suffixe à la troisième personne.*
21. « *te sera rendu* », *litt.* « *reviendra à toi* » tᵉbô'ăka *conj.*; *H* tᵉbô'atka *forme anormale.*
23. « *en humilié* », *litt.* « *et t'humilies* » wᵉté'aneh *d'après G ;* « *tu seras bâti* » tibbanèh *H.*
24. « *si tu estimes* » wᵉšata *conj.*; « *et si tu places* (?) » wᵉšît *H.* — « *comme* » *conj.*; « *sur* » *H.* — « *comme* »² *conj.*; « *dans* » *H.*

---

a) Éliphaz vise certainement des impies fameux d'autrefois. A cause de 16ᵇ on pense à la génération du déluge. Mais l'auteur peut connaître d'autres développements, dans la tradition populaire, de ce thème ancien.

b) Éliphaz reste constant dans son attitude vis-à-vis de Job. Il continue de ne pas désespérer de lui s'il accepte la correction (cf. 5 17).

c) Pays célèbre par son or au point que son nom désigne l'or lui-

²⁵ Shaddaï sera pour toi des lingots d'or
     et de l'argent en monceaux^{*a*}.
²⁶ Alors tu feras de Shaddaï tes délices
     et tu lèveras vers Dieu ta face.
²⁷ Tes prières, il les exaucera
     et tu auras motif d'acquitter tes vœux.
²⁸ Toutes tes entreprises réussiront
     et sur ta route brillera la lumière.
²⁹ Car il abaisse l'orgueil des superbes,
     mais il secourt l'homme aux yeux baissés^{*b*}.
³⁰ Il délivre l'innocent;
     que tes mains soient pures, et tu seras sauvé.

Dieu est loin, et le mal triomphe.

23.   ¹ Job prit la parole et dit :

     ² C'est toujours une révolte que ma plainte;
          sa main pesante, à Lui, m'arrache des gémisse-
     ³ Oh ! Si je savais comment l'atteindre,   [ments.
          parvenir jusqu'à sa demeure,
     ⁴ j'ouvrirais un procès devant lui,
          ma bouche serait pleine d'arguments^{*c*}.

---

29. « *il abaisse* » *conj.*; *pluriel* H. — « *orgueil des superbes* », *litt.* « *celui qui se rengorge avec orgueil* », *verbe corrigé* (*cf. Ps* **94** 4) *et substantif considéré comme un accusatif adverbial ;* « *et tu as dit : orgueil* » H.
23 2. « *sa main* » G *Syr ;* « *ma main* » H.

---

même. On le situe souvent sur la côte ouest de la mer Rouge, au sud de la Nubie. D'autres songent à la côte occidentale de l'Arabie.

a) Cette préférence des valeurs spirituelles aux biens matériels n'est nulle part formulée avec une telle netteté dans l'A. T. Cf. pourtant Ps **4** 8; **16** 5-6; **63** 4-6; **84** 11; etc. L'auteur du Dialogue semble avoir voulu confier à Éliphaz la défense de valeurs religieuses qu'il entendait garder (voir Introd., p. 24).

b) Cf. Is **2** 11-17; Lc **1** 52-53.

c) Précédemment (**9** 14-17), le ton était plus violent et Job écartait délibérément cette hypothèse à la pensée que Dieu l'accablerait. Il compte

⁵ Je connaîtrais les termes de sa défense,
     attentif à ce qu'il me dirait.
⁶ Jetterait-il toute sa force dans ce débat avec moi ?
     Non, il n'aurait qu'à m'écouter.
⁷ Il reconnaîtrait dans son adversaire un homme droit,
     et je ferais triompher ma cause.

⁸ Si je vais vers l'orient, il est absent;
     vers l'occident, je ne l'aperçois pas.
⁹ Quand je le cherche au nord, il n'est pas discernable,
     il reste invisible si je me tourne au midi[a].
¹⁰ Et pourtant, toutes mes démarches, il les connaît[b] !
     Qu'il me passe au creuset : or pur j'en sortirai !
¹¹ Mon pied s'est attaché à ses pas[c],
     j'ai suivi sa route sans dévier;
¹² j'ai observé à la lettre les commandements de ses
                               [lèvres,
     abrité dans mon sein les paroles de sa bouche[d].
¹³ Mais lui décide, qui le fera changer ?
     Ce qu'il a projeté, il l'accomplit.

---

6. « *écouter* » yišma' *conj.*; « *appliquer (son attention)* » yaśim *H.*

7. « *ma cause* » *Vers.*; « *de mon juge* » *H.*

9. « *Quand je le cherche* » biqqaštiw *conj.*; « *Quand il agit* » ba'ăśotô *H.* — « *me tourne* » *Syr Vulg* ; « *s'il se tourne* » *K.*

10. « *toutes mes démarches* », litt. « *ma marche et mon arrêt* » *Syr* ; « *le chemin avec moi* » *H.*

12. « *dans mon sein* » *G Vulg* ; *H ne donne pas de sens satisfaisant.*

13. « *décide* » baḥar *conj.*; « *en un* » be'èḥad *H.*

---

maintenant davantage sur son équité. Mais il ne sait comment l'atteindre, il se heurte au mystère du Dieu caché et inaccessible.

a) Cf. Ps **139** 7-10.
b) Cf. Ps **139** 1-6; Jr **11** 20.
c) Cf. Ps **17** 5.
d) D'origine édomite d'après le Prologue, Job prétend pourtant connaître les volontés explicites de Dieu, révélées à Israël, principalement dans la Loi. Le poète trahit ainsi sa nationalité.

¹⁴ Il exécutera donc ma sentence,
    comme tant d'autres de ses décrets *a* !

¹⁵ C'est pourquoi, devant lui, je suis terrifié;
    plus j'y songe, plus il me fait peur.

¹⁶ Dieu a brisé mon courage,
    Shaddaï me remplit d'effroi.

¹⁷ Car les ténèbres me cachent à lui,
    l'obscurité me voile sa présence *b*.

24. ¹ Pourquoi Shaddaï n'a-t-il pas des temps *c* en réserve,
    et ses fidèles ne voient-ils pas ses jours ?

    ² Les méchants *d* déplacent les bornes,
    ils enlèvent troupeau et berger.

    ³ On emmène l'âne des orphelins,
    on prend en gage le bœuf de la veuve.

    ⁴ Les indigents s'écartent du chemin,
    les pauvres du pays se cachent tous de même.

---

17. « *me cachent à lui* », *litt.* « *je suis caché à lui (à cause des ténèbres)* lô niṣ-pantî *conj.*; « *je ne me suis pas tu (?)* » lo' niṣmatti *H*. — « *me voile sa présence* », *litt.* « *le voile de devant ma face* », *conj.*; « *et à cause de ma face qu'a voilée l'obscu-rité* » *H*.
24 2. « *Les méchants* » *G ; omis par H*. — « *et berger* » *G ; « et le font paître* » *H*.

---

a) Les décrets de Dieu sont immuables (cf. Is 45 23; 55 10-11).

b) Ce texte est peut-être celui qui suggère le plus nettement l'aspect spirituel des ténèbres de Job.

c) Des temps supplémentaires, ajoutés à celui qui mesure une vie humaine, pour exercer enfin le châtiment. « Ses jours », c'est-à-dire, ceux de ses interventions vengeresses, rappellent le thème eschatologique du « Jour de Yahvé », mais appliqué à des individus. Job déplore ainsi que la justice divine ne s'exerce pas ici-bas.

d) Évoquant par quelques traits l'inégalité sociale à son époque, l'auteur oppose deux catégories d'individus : ceux qui disposent de la force et de la fortune, s'en servent pour opprimer les autres, sèment la terreur autour d'eux (2-4), et leurs victimes, la basse classe des prolétaires indigents. C'est dans la Bible la plus émouvante description de la condition des misérables, qui en appelle à la justice de Dieu. — Cf. Dt 27 17; 24 17; 15 11; 24 12-13; Pr 23 10; Ex 22 25-26.

⁵ Tels les onagres du désert, ils sortent,
  poussés par la faim de leurs petits,
  et ils cherchent une proie sur la steppe aride.

⁶ Ils moissonnent le champ d'un vaurien,
  ils vendangent la vigne du méchant.

¹⁰ Ils s'en vont nus, sans vêtements;
   affamés, ils portent les gerbes.

¹¹ Ils n'ont pas de meules pour presser l'huile;
   altérés, ils foulent les cuves*a*.

⁷ *b* Ils passent la nuit nus, sans vêtement,
   sans couverture contre le froid.

⁸ L'averse des montagnes les pénètre;
  faute d'abri, ils étreignent le rocher.

⁹ On enlève*c* à l'orphelin son champ,
  on prend en gage le manteau du pauvre.

¹² Des villes on entend gémir les mourants,
   les blessés, dans un souffle, crier à l'aide.
   Et Dieu reste sourd à la plainte !

---

5. « *poussés* » bᵉpaʿamam *conj.* — « *par la faim* », *litt.* « *pas de pain* ». — « *de leurs petits* » *tiré de* 5ᵈ. — « *sur (la steppe)* » : *on ajoute la préposition.* — H *pour ce v. corrompu.*

6. « *vaurien* » bᵉliyyaʿal *conj.*; « *qui n'est pas à lui* » bᵉlilô H.

11. « *Ils n'ont pas...* », *litt.* « *Sans les deux meules ils pressent l'huile* » : « *Sans* » *conj.*; « *Entre* » H. — « *les deux meules* » : *on lit un duel.*

9. « *champ* » śᵉdeh *conj.*; « *dévastation* » šod H ; *la préposition est transposée.* — « *manteau* » mᵉʿil *conj.*; « *et sur* » wᵉʿal H.

12. « *les mourants* » Syr ; « *les hommes* » H. — « *reste... plainte* » loʾ yišmaʿ tᵉpillah *conj. d'après* Syr ; « *n'applique pas (son attention) à la sottise* » loʾ yaśîm tiplah H.

---

a) Opposition, semble-t-il, entre une technique plus avancée diminuant la peine de l'homme, et une autre plus primitive, utilisant peut-être pilons et mortiers (ou cavités de rochers).

b) On transpose 7-9 après 11. Si l'on garde l'ordre reçu, le v. 9 n'est plus dans son contexte normal. Le début identique des vv. 7 et 10 a pu être cause de déplacements accidentels dans l'ordre du texte.

c) A l'arrière-plan de la condition injuste faite à ces misérables se profilent d'autres détresses : la violence faite à l'orphelin et au pauvre (cf. 3),

¹³ D'autres*ᵃ* sont de ceux qui haïssent la lumière :
  ils en méconnaissent les chemins,
  n'en fréquentent pas les sentiers.
¹⁴ Il fait noir quand l'assassin se lève,
  pour tuer le pauvre et l'indigent *ᵇ*.
  Durant la nuit rôde le voleur,
¹⁶ᵃ dans les ténèbres, il perfore les maisons.
¹⁵ L'œil de l'adultère épie le crépuscule :
  « Personne ne me verra », dit-il,
  et il met un voile sur son visage*ᶜ*.
¹⁶ᵇ Pendant le jour, ils se cachent,
  ceux qui rejettent ainsi la lumière.
¹⁷ Pour eux tous, le matin c'est l'heure noire,
  car ils en éprouvent les terreurs*ᵈ*.

²⁵ N'en est-il pas ainsi ? Qui me convaincra de men-
  et réduira mes paroles à néant ?   [songe,

---

14. « *Il fait noir* » bᵉlo' 'ôr *conj.*; « *A la lumière* » la'ôr H. — «*rôde* » yᵉhallék
conj.; « *et il est comme* » yᵉhi ka *H*.

17. « *car ils en éprouvent les terreurs* » : *on supprime le second* ṣalmâwèt *et
on lit* yakîru; « *car il éprouve les terreurs de l'ombre épaisse* » H.

---

les cris des mourants dans les villes conquises (12). Et Dieu semble ne pas
entendre !

  a) Cette diatribe contre les ennemis de la lumière peut avoir eu une existence indépendante et avoir été reprise par le poète de Job. Elle ramène
l'attention sur les oppresseurs, sous l'angle de l'impassibilité déconcertante de Dieu : il laisse opérer dans l'ombre ces êtres qui pervertissent
l'ordre naturel et font des ténèbres leur lumière. Cette lumière est à entendre directement au sens physique, mais dans la section 14-17, le sens moral
est sous-jacent et prépare Jn **3** 20 : « Celui qui fait le mal, hait la lumière »
(cf. aussi Ep **5** 8 s; 1 Th **5** 4 s).

  b) Ses victimes sont plutôt les riches, mais il s'attaque aussi à ceux qui
sont sans défense pour leur ravir le peu qu'ils possèdent. L'auteur emploie
peut-être une formule reçue, identifiant les pauvres avec les justes, les
innocents opprimés (cf. Ps **10** 8-9; **37** 32).

  c) Pr **7** 9-10 parle de la femme.

  d) Les vv. 18-24 ne nous ont pas paru susceptibles d'être traduits en les
maintenant dans ce discours de Job. Nous les plaçons après **27** 23.

Hymne à la Toute-Puissance de Dieu[a].

25. [1] BILDAD DE SHUAH prit la parole et dit :

[2] C'est un souverain redoutable,
   Celui qui fait régner la paix dans ses hauteurs[b].
[3] Peut-on dénombrer ses troupes[c],
   se vanter d'éviter ses embuscades ?
[4] Et l'homme se croirait juste devant Dieu,
   il serait pur l'enfant de la femme[d] ?
[5] La lune même est sans éclat,
   les étoiles ne sont pas pures à ses yeux.
[6] Que dira l'homme, cette vermine,
   un fils d'homme, ce vermisseau ?

26. [5e] Les Ombres[f] tremblent sous terre,
   les eaux[g] et leurs habitants sont dans l'effroi.

---

25 3. « *ses embuscades* » 'ôrbô *G ; « sa lumière* » 'ôréhû *H.*

5. « *est sans éclat* », *litt.* « *ne brille pas* », *Vers. et un ms hébr. Le texte reçu a un verbe dénominatif du mot* « *tente* » (?).
26 5. « *sous terre* » *emprunté au second hémistiche.* — « *sont dans l'effroi* » : *on conjecture* yéḥattû *éliminé par haplographie.*

---

a) Ce discours, à supposer qu'il soit de Bildad et dont nous n'avons peut-être qu'un fragment, n'a pas de connexion apparente avec le développement du Dialogue et semble anticiper sur les discours de Yahvé. Néanmoins, il se justifie sans trop de peine à cet endroit : Bildad veut protester à sa façon contre l'accusation tacite d'impuissance formulée contre Dieu.

b) Les habitants de ces hauteurs célestes sont les anges et les astres. Dieu assure la concorde entre les uns et réprimerait toute révolte (cf. Is **24** 21; Ap **12** 7-12); il maintient les autres dans l'ordre et la régularité (cf. Is **40** 26; Si **43** 10). Le texte fait peut-être allusion à la soumission des puissances chaotiques (cf. **26** 12-13).

c) L'armée des cieux désigne tantôt les astres, tantôt, comme ici, les anges.
d) Cf. **4** 17 et **15** 14.
e) On reporte **26** 1-4 après **26** 14 et on transpose ici **26** 5-14, que le texte insère dans un discours de Job, mais qui semble compléter le discours mutilé de Bildad.
f) Litt. : les « Rephaïm », c'est-à-dire soit les trépassés (cf. Ps **88** 11), soit les faibles, les impuissants.
g) Il s'agit des eaux de l'abîme, de l'océan, peuplé par l'imagination

⁶ Devant Lui, le Shéol est à nu,
   la Perdition*ᵃ* à découvert.

⁷ C'est lui qui a étendu le Septentrion sur le vide,
   suspendu la terre sans appui*ᵇ*.

⁸ Il enferme les eaux dans ses nuages.
   sans que la nuée crève sous leur poids.

⁹ Il couvre la face de la pleine lune*ᶜ*
   et déploie sur elle sa nuée.

¹⁰ Il a tracé un cercle à la surface des eaux*ᵈ*,
   aux confins de la lumière et des ténèbres.

¹¹ Les colonnes des cieux sont ébranlées*ᵉ*,
   frappées de stupeur quand il menace.

¹² Par sa force, il a calmé la Mer,
   par son intelligence, écrasé Rahab*ᶠ*.

---

9. « *la pleine lune* » kèseh *conj.*; « *trône* » kisseh *H*. — « *déploie* » *Vers.*; *H* a une forme anormale.

10. « *Il a tracé un cercle* » ḥaq ḥûg *conj.*; « *Il a circonscrit un terme* » ḥoq ḥag *H*.

---

populaire des monstres vaincus aux origines : dragons, serpents (cf. Ps **104** 25, 26). Voir Jb **7** 12 et la note. La puissance de Dieu se fait sentir dans les régions les plus profondes de la terre (Ps **63** 10) et jusqu'au fond de l'abîme.

a) Ce mot (en hébr. *Abaddôn*) est dans l'usage synonyme de Shéol. Il désignait peut-être anciennement une divinité infernale. Il prend un sens personnel dans Ap **9** 11 : l'Ange de l'Abîme. Si la louange de Dieu cesse au shéol, celui-ci n'est pas soustrait à la présence et à la science divines (cf. Pr **15** 11; Ps **139** 8, 11-12; Am **9** 2).

b) Le « Septentrion » : la partie septentrionale du firmament sur laquelle celui-ci était censé pivoter. Ailleurs il est parlé des colonnes qui supportent la terre (**9** 6), mais l'homme ignore leur point d'appui (**38** 6). Ce v., seul dans la Bible, évoque un espace infini.

c) Une des façons d'expliquer les éclipses de lune.

d) Au-dessus des eaux de l'océan primordial, ce cercle délimite le domaine respectif de la lumière et des ténèbres (cf. **22** 14; Gn **1** 7, 14)

e) Les hautes montagnes étaient censées supporter la voûte céleste. Elles sont ébranlées par le tonnerre, voix menaçante de Yahvé (cf. Ps **29** 5-6) ou par des tremblements de terre (cf. Ps **18** 8).

f) Cf. notes sur **7** 12 et **9** 13.

¹³ Son souffle a clarifié les Cieux,
   sa main transpercé le Serpent Fuyard[a].

¹⁴ Tout cela, c'est l'extérieur de ses œuvres
   et nous n'en saisissons qu'un faible écho.
   Mais le tonnerre de sa puissance, qui le compren-
                                                    [dra ?

Bildad parle en l'air.

26.   ¹ JOB[b] prit la parole et dit :

² Comme tu sais bien soutenir le faible,
  secourir le bras sans vigueur !

³ Quels bons conseils tu donnes à l'ignorant,
  comme ton savoir est fertile en ressources !

⁴ Mais ces discours, à qui s'adressent-ils,
  et quel est l'esprit qui sort de toi[c] ?

Job, innocent, connaît la Puissance de Dieu.

27.   ¹ Et JOB continua de s'exprimer en sentences et dit[d] :

² Par le Dieu vivant qui me refuse justice,
  par Shaddaï qui rend ma vie amère,

³ tant qu'un reste de vie m'animera,
  que le souffle de Dieu passera dans mes narines[e],

---

13. « *Son souffle* » Vulg.; « *Par son souffle* » H.

a) Il n'est autre que le « Léviathan » d'autres textes (Is **27** 1; **51** 9.
Cf. la note sur **3** 8). Le dragon d'Ap **12** 3 revêt certains traits de ce serpent
chaotique et indique dans quel sens cette résistance à Dieu dans le Ciel
peut être transposée.

b) Nous suivons le texte qui attribue à Job ce tronçon de discours. Les
raisons que l'on allègue pour l'attribuer à Bildad ou à Çophar ne sont pas
décisives. Comme tel, il est une repartie ironique de Job à celui qui semble
avoir perdu de vue l'objet précis de la discussion.

c) Cf. 1 R **22** 24.

d) Ce n'est pas la formule habituelle pour introduire un nouvel interlocuteur : le scribe qui en est responsable avait des raisons d'y voir la
continuation d'un discours de Job.

e) Cf. **33** 4; Gn **2** 7.

⁴ mes lèvres ne diront rien de faux,
  nul mensonge ne viendra sur ma langue.

⁵ Bien loin de vous donner raison,
  jusqu'à mon dernier souffle, je maintiendrai mon

⁶ Je tiens à ma justice et ne lâche pas;   [innocence.
  en conscience, je n'ai pas à rougir de mes jours.

⁷ Que mon ennemi ait le sort du méchant,
  mon adversaire celui de l'injuste !

⁸ Quel espoir, en effet, reste à l'impie quand il supplie
  et qu'il élève vers Dieu son âme ?

⁹ Est-ce que Dieu entend ses cris,
  quand fond sur lui la détresse ?

¹⁰ Faisait-il ses délices de Shaddaï,
   l'invoquait-il à tout instant*a* ?

¹¹ Mais je vous montre à l'œuvre la maîtrise de Dieu,
   sans rien vous cacher des pensées de Shaddaï*b*.

¹² Et si vous tous aviez su l'observer,
   à quoi bon vos vains discours dans le vide ?

Discours de Çophar*c* : Le maudit.

¹³ Voici le lot que Dieu réserve au méchant,
   l'héritage que le violent reçoit de Shaddaï*d*.

---

27 6. « *n'ai pas à rougir* » yèḥᵉpas *conj.*; « *n'insulte pas* » yèḥĕrap *H.*

8. « *supplie* » yipgaᶜ *conj.*; « *tranche* » *ou* « *réalise des gains* » yibṣaᶜ *H.* —
« *et qu'il élève vers Dieu* » yiśśa'lᵉ *coni.*; « *et que Dieu retire* » yéśèl *H.*

13. « *que Dieu réserve* », *litt.* « *de la part de Dieu* » *conj.*; « *avec Dieu* » *H.* —
« *que le violent reçoit* » : *on lit le singulier ; pluriel H.*

---

a) Cf. **22** 26. Job reprend certaines paroles d'Éliphaz, mais s'il est
châtié comme un impie, il n'est pas dans la condition spirituelle de l'impie.

b) Job semble dire qu'il a exposé en toute vérité et d'après les faits, le
comportement étrange de Dieu. Ses amis ont fermé les yeux à l'évidence.
Si l'on traduit les verbes par le futur, ce v. annoncerait un développement
perdu, qu'on ne peut guère identifier avec 13-29 (cf. note suivante).

c) Les vv. 13-23 ne sont qu'un fragment de discours et l'introduction

Voir note *d,* à la page suivante.

¹⁴ Si nombreux que soient ses fils, l'épée les attend,
  et leurs rejetons souffriront de la faim.
¹⁵ Les survivants seront ensevelis par la Peste[a],
  sans que leurs veuves puissent les pleurer.
¹⁶ S'il accumule l'argent comme la poussière,
  s'il entasse des vêtements comme de la glaise,
¹⁷ qu'il les entasse ! un juste les revêtira,
  un innocent recevra l'argent en partage.
¹⁸ Il s'est bâti une maison d'araignée,
  il s'est construit une hutte de gardien[b] :
¹⁹ riche, il se couche, mais c'est la dernière fois;
  quand il ouvre les yeux, plus rien.
²⁰ Les terreurs l'assaillent en plein jour,
  la nuit, un tourbillon l'enlève.
²¹ Un vent d'est[c] le soulève et l'entraîne,
  l'arrache à son lieu de séjour.
²² Sans pitié, on le prend pour cible,

---

14. « *leurs rejetons* » *conj.*; « *ses rejetons* » *H.*
18. « *d'araignée* » ha'akkabîš *G Syr* ; « *comme la teigne* » ka'aš *H.*
19. « *c'est la dernière fois* », litt. « *il ne recommencera plus* » yôsîp *G Syr* ; « *et il n'est pas rassemblé* » yé'asep *H.*
20. « *en plein jour* » yômam *conj.*; « *comme des eaux* » kammayîm *H.*
21. « *l'entraîne* » *Vulg* ; « *et il s'en va* » *H.*

---

manque. Les attribuer à Job, selon le texte reçu, ce serait admettre un revirement total chez Job, l'entendre répéter un thème développé plusieurs fois par ses amis (cf. **20**). L'on prétend parfois qu'au cours de ce troisième cycle de discours les sentiments des interlocuteurs auraient subi une transformation radicale de part et d'autre : nous n'en avons aucune preuve ni indice. Cette section semble donc devoir être restituée à l'un des amis de Job et l'attribution à Çophar reste la plus indiquée. Il nous a semblé que **24** 18-24 (cf. note critique après **24** 17) pouvait prendre place à la suite.

d) Cf. **20** 29.

a) Litt. : « la Mort », mais ce mot désigne parfois le mal mortel par excellence, ici personnifié. Cf. **18** 13; Jr **15** 2; **43** 11; Ap **6** 8.
b) Deux images d'instabilité. Cf. **8** 14-15.
c) Le vent maudit qui, en Palestine, dessèche la végétation et paralyse l'activité humaine.

il doit fuir des mains menaçantes.

²³ On applaudit à sa ruine,
on siffle sur lui de toutes parts.

24. ¹⁸ᵃᶜᵇ Il fuit, rapide, avant le jour,
il évite la route des hauteurs.

Son domaine est maudit dans le pays,

¹⁹ une chaleur sèche tarit les eaux
et brûle ce qui reste de ses blés.

²⁰ Le sein qui l'a formé l'oublie
et son nom n'est plus mentionné.

Ainsi est foudroyée comme un arbre l'iniquité.

²¹ Car il a maltraité la femme stérile, privée d'enfants,
il s'est montré dur pour la veuve.

²² Mais Celui qui se saisit des tyrans avec force
surgit et lui ôte l'assurance de la vie.

²³ Il le laissait s'appuyer sur une sécurité trompeuse,
mais, des yeux, il surveillait ses démarches.

²⁴ Élevé pour un temps, il disparaît,
il s'affaisse comme l'arroche[a] qu'on cueille,
il se fane comme la tête des épis[b].

---

24 18-24. *Le rattachement de cette section ici est conjectural ; le texte très abîmé nécessite de nombreuses conjectures.* — « avant le jour » mipnê yôm *conj.*; « sur la face des eaux » 'al pᵉnê mayîm *H.* — « des hauteurs » mᵉrômîm *conj.*; « des vignes » kᵉramîm *H.* — « son domaine » : *on lit le suffixe au singulier.*

19. « et brûle... blés » wᵉyiśrop šᵉ'ar ḥiṭṭayw *conj.*; « (les eaux) de la neige. Le shéol, ils ont péché » šèlèg šᵉ'ôl ḥaṭa'û *H.*

20. « son nom » šᵉmoh *conj.*; « la vermine » simmah *H.*

21. « il a maltraité » héra' *conj.*; « paissant » ro'eh *H.*

22. « se saisit » : *on lit le participe.*

23. « ses démarches » : *on lit avec* √*Vulg le suffixe singulier* ; « leurs démarches » *H.*

24. « Élevé » *conj.*; *pluriel H.* — « il s'affaisse... cueille » kᵉmallûaḥ yiqṭᵉpûn *d'après G* ; « ils s'affaissent, comme tout ils s'écoulent » kakol yiqqapᵉṣûn *H.* — « se fane » *conj.*; *pluriel H.*

---

a) Litt. : « la plante salée », connue aussi des Grecs; c'est une plante verte et comestible qu'on trouve sur les bords de la mer Morte.

b) Le v. 25 est reporté après **24** 17, où il paraît mieux en situation.

IV. Éloge de la Sagesse

La Sagesse inaccessible à l'homme[a].

28.   [1] Il existe, pour l'argent, des mines,
　　　　　　pour l'or, des lieux où on l'épure.
　　　[2] Le fer est tiré du sol,
　　　　　　la pierre fondue livre du cuivre.
　　　[3] On met fin aux ténèbres[b],
　　　　　　on fouille jusqu'à l'extrême limite
　　　　　　la pierre obscure et sombre.
　　　[4] Les gens de la lampe[c] creusent des mines
　　　　　　où l'on perd pied,
　　　　　　et ils oscillent, suspendus[d], loin des humains.
　　　[5] La terre d'où sort le pain
　　　　　　est ravagée en dessous par le feu[e].

---

28 1. *H ajoute « Car (il existe) ».·*

4. *« gens de la lampe »* 'am nér *conj.; « avec l'étranger »* 'im gar *H. — « mines » : litt. « ravins ».*

5. *« par le feu »* Vulg *; « comme par le feu »* H.

---

a) La place et la signification primitive de cet intermède dans le Dialogue restent obscures (cf. Introduction, pp. 11-12). Il présente des analogies avec Pr **8** 22 s. Ici, la Sagesse, inaccessible à l'homme (selon Ba **3** 9-**4** 6 elle a été révélée à Israël) est une Sagesse transcendante. Elle ne se réduit pas à la loi de l'univers, mais le domine. Dieu la consulte en quelque sorte (25-26). Elle se confond en fait avec l'attribut divin de Sagesse, mais prend un relief personnel assez étrange; elle a son habitat distinct, que Dieu seul découvre. On peut voir là l'écho de vieilles croyances religieuses : il n'en resterait ici qu'une image, mais très expressive.

b) L'homme, en s'enfonçant dans le sol, viole le secret des ténèbres.

c) Désignation ancienne des mineurs ? On sait qu'ils s'éclairaient par des lampes suspendues de place en place.

d) « Suspendus » : sens possible, qu'on rattache l'hébreu *dalû* à la racine *dalal* ou à la racine *dalah*.

e) Si l'on suit la Vulg (cf. note crit.) il s'agit de l'usage ancien de faire éclater les pierres en introduisant dans le rocher du bois que l'on enflammait, ou en répandant de l'eau froide sur la pierre chauffée.

⁶ Là, les pierres sont le gisement du saphir
　　qui contient des parcelles d'or.

⁷ L'oiseau de proie en ignore le sentier.
　　l'œil du vautour ne l'aperçoit pas.

⁸ Il n'est point foulé par les fauves altiers ᵃ,
　　le lion ne l'a jamais frayé.

⁹ L'homme s'attaque au silex,
　　il bouleverse les montagnes dans leurs racines.

¹⁰ Dans les roches il perce des galeries ᵇ,
　　l'œil ouvert sur tout objet précieux.

¹¹ Il explore les sources des fleuves ᶜ,
　　amène au jour ce qui restait caché.

¹² Mais la Sagesse, d'où provient-elle ?
　　où se trouve-t-elle, l'Intelligence ᵈ ?

¹³ L'homme en ignore le chemin,
　　on ne la découvre pas sur la terre des vivants ᵉ.

¹⁴ L'Abîme déclare : « Je ne la contiens pas ! »
　　et la Mer : « Elle n'est point chez moi ! »

¹⁵ On ne peut l'acquérir ᶠ avec l'or massif,
　　la payer au poids de l'argent,

¹⁶ l'évaluer avec l'or d'Ophir,
　　l'agate précieuse ᵍ ou le saphir.

---

11. « *explore* » ḥippés *conj.*; « *lie* » ḥibbés *H.* — « *sources* » mabkê *d'après*
G ; « *pleurs* » mibkî *H.*

12. « *d'où provient-elle* » *un ms hebr.*; « *où la trouve-t-on* » *H.*

13. « *chemin* » darkah *d'après G ;* « *prix* » 'èrkah *H.*

---

a) Litt. « les fils de l'orgueil ».

b) « Des galeries » : litt. « des Nils », peut-être expression technique.

c) On pensait que les fleuves étaient alimentés surtout par des nappes
souterraines en continuité avec l'abîme : les sources jaillissaient de là.

d) Cf. Qo **7** 24; Ba **3** 15; Si **1** 6.

e) Cf. Ba **3** 29-31.

f) L'homme ne peut pas plus acheter la Sagesse que la découvrir.

g) La cornaline ou l'onyx.

¹⁷ On ne lui compare pas l'or ni le verre ͣ,
  on ne l'échange point contre un vase d'or fin.
¹⁸ Coraux et cristal ne méritent pas mention,
  mieux vaudrait pêcher la Sagesse que les perles.
¹⁹ Auprès d'elle, la topaze de Kush ᵇ est sans valeur
  et l'or pur perd son poids d'échange.
²⁰ Mais la Sagesse, d'où provient-elle ?
  où se trouve-t-elle, l'Intelligence ?

²¹ Elle se dérobe aux yeux de tout vivant,
  elle se cache aux oiseaux du ciel.
²² La Perdition et la Mort déclarent :
  « Nos oreilles ont eu bruit de sa renommée ͨ. »
²³ Dieu seul en a discerné le chemin
  et connu, lui, où elle se trouve.
²⁴ (Car ͩ il voit jusqu'aux extrémités de la terre,
  il aperçoit tout ce qui est sous les cieux.)
²⁵ Lorsqu'il voulut donner du poids au vent ͤ,
  jauger les eaux avec une mesure ;
²⁶ quand il imposa des lois à la pluie,
  une route aux roulements du tonnerre,

---

a) Le verre, peut-être importé d'Égypte et fabriqué surtout en Phénicie, était rare et précieux dans l'Antiquité. — Cf. Sg **7** 9.

b) Pays situé au sud de l'Égypte et s'étendant jusqu'à la mer Rouge : la Nubie ou l'Éthiopie.

c) Au shéol, on ne la connaît que par ouï-dire. Et ainsi se ferment tous les domaines de la Création devant le mystère de la Sagesse. Ni l'air (21), ni la terre habitée (13), ni l'Abîme ou l'Océan (14), ni le Shéol (22, cf. **26** 5-6) ne peuvent livrer son secret.

d) Ce v. semble être une glose de copiste. Précédemment, on nous a dit que la Sagesse n'habitait nulle part dans l'univers visible. On peut difficilement traduire « lorsqu'il regardait », car la construction même et le changement de temps dénotent plutôt une explication. C'est une justification générale, en termes courants, de l'omniscience de Dieu.

e) Pour permettre à cette réalité invisible d'exercer une pression sur les corps. Les faits allégués (25-26) sont des exemples de l'ordre et la mesure qui existent dans l'univers ; ils remontent à la Sagesse, mais c'est la puissance divine qui est à l'œuvre. Cf. **36** 27-33 ; Is **40** 12-14.

²⁷ alors il la vit et l'évalua,
   il la scruta jusqu'au fond^a.
²⁸ Puis il dit à l'homme^b :
   « La crainte du Seigneur, voilà la sagesse ;
   fuir le mal, voilà l'intelligence. »

V. Conclusion du Dialogue

Plaintes et apologie de Job^c :
A. Les jours d'antan^d.

29. ¹ Job continua de s'exprimer en sentences et dit :

   ² Qui me fera revivre les mois d'antan,
     ces jours où Dieu veillait sur moi,

---

27. « *l'évalua* » *dans ses richesses et ses virtualités. On lit* yisp^erah. *La forme du verbe hébreu, dans le texte reçu, signifie plutôt* « *raconter, manifester* ». *C'est le sens préféré par la Vulg :* « *enarravit* ». — « *la scruta* » : *on lit avec 5 mss hébr.* hĕbînah; *les autres mss portent* hĕkînah, « *l'installa (en charge), l'établit* », *leçon appuyée par G et Vulg. Si l'on adopte cette seconde traduction, le dernier verbe (traduit par* «*jusqu'au fond*») *doit s'interpréter :* « *l'éprouva, en fit l'épreuve* ».

a) Cette accumulation de verbes, avec une progression voulue, indique une connaissance totale. Cf. Si **1** 8-9, 19.

b) Avec ce v., on change soudain de plan et de style ; le mot « sagesse » a un autre sens, Dieu parle de « crainte de Dieu ». Aussi voit-on souvent ici une addition postérieure. Mais la conclusion ainsi donnée au ch. **28** s'accorde bien avec celle des discours de Yahvé et au moins avec le sens primitif du poème. La Sagesse reste transcendante; la science de l'homme, que d'ailleurs l'auteur admire, est impuissante à l'atteindre. L'homme doit se contenter de cette « sagesse » pratique qui est la « crainte de Dieu ». — Cf. Pr **1** 7.

c) Il est possible que telle ou telle section de ce discours (**30-31**) ait fait partie primitivement de la réponse à Bildad dans le 3ᵉ cycle de discours. La notice : « Job continua de s'exprimer en sentences et dit », peut être un indice de cette appartenance originale à un autre contexte. Mais les essais de morcellement de ce discours n'ont pas donné de résultat satisfaisant, car il possède une unité réelle qu'il vaut mieux ne pas briser.

d) Ce tableau est un témoignage précieux sur la conception israélite ancienne d'une vie heureuse.

³ où sa lampe brillait sur ma tête
  et sa lumière me guidait dans les ténèbres*a* !
⁴ Puissé-je revoir les jours de mon automne*b*,
  quand d'une haie*c* Dieu protégeait ma tente,
⁵ que Shaddaï demeurait avec moi
  et que mes garçons m'entouraient*d* ;
⁶ quand mes pieds baignaient dans le laitage,
  et du rocher coulaient des ruisseaux d'huile*e* !

⁷ Si je sortais vers la porte de la ville*f*,
  si j'installais mon siège sur la place,
⁸ à ma vue, les jeunes gens se retiraient
  et les vieillards restaient debout.
⁹ Les notables arrêtaient leurs discours
  et mettaient la main sur leur bouche*g*.
¹⁰ La voix des chefs s'étouffait
  et leur langue se collait au palais.

---

29 4. « *d'une haie... protégeait* » b°sôk *G Syr* (*cf.* **1** 10); « *dans l'intimité* »
b°sôd *H.*
6. « *des ruisseaux d'huile* »; *H ajoute* « *avec moi* ».

---

a) Le symbolisme de la lampe et de la lumière (cf. note sur **18** 5) s'applique non seulement à une vie épanouie et heureuse, mais aussi à une vie
droite et juste (cf. Ps **36** 10; **97** 11; **112** 4; etc.).
b) D'autres traduisent « maturité ». Mais l'automne, époque des ven-
danges et de la récolte des fruits, pouvait être considéré comme le temps
et le symbole de l'abondance.
c) Cf. **1** 10.
d) Les fils sont la fierté d'un père heureux (cf. Ps **128** 3).
e) Termes hyperboliques courants (cf. **20** 17). On disait que quelqu'un
lavait ses pieds dans le lait caillé, comme dans le sang (Ps **58** 11), lorsqu'il
y avait surabondance. En Palestine, l'huile était pressée dans les cavités
de rochers et coulait dans des fosses.
f) Job est peint sur le vif, dans l'une de ces réunions qui se tiennent
encore, en Orient, à la Porte (cf. **5** 4 et la note) de la ville, sur la place
(cf. Ne **8** 1). Les Anciens, les notables et les chefs discutent, tandis que les
plus jeunes écoutent.
g) Cf. Sg **8** 10-12.

²¹*^a Ils m'écoutaient, dans l'attente,
     silencieux pour entendre mon avis.
²² A chaque pause, nul ne répliquait,
     et sur eux, goutte à goutte, tombaient mes paroles.
²³ Ils m'attendaient comme la pluie,
     leur bouche s'ouvrait comme pour l'ondée tar-
²⁴ Si je leur souriais, ils n'osaient y croire,   [dive *^b.
     ils recueillaient sur mon visage tout signe de fa-
²⁵ Je leur traçais d'autorité la route à suivre,   [veur *^c.
     tel un roi installé parmi ses troupes,
     et je les menais partout à mon gré.

¹¹ Mon éloge résonnait dans toute oreille
     et je trouvais faveur à tous les yeux.
¹² Car je délivrais le pauvre en détresse
     et l'orphelin privé d'appui *^d.
¹³ La bénédiction du mourant se posait sur moi
     et je rendais la joie au cœur de la veuve.
¹⁴ J'avais revêtu la justice comme un vêtement,
     j'avais l'équité pour manteau et turban *^e.

---

25. « *et je... à mon gré* » ba'ăšèr 'ôbîlam yinnahû *conj.*; « *comme celui qui console les affligés* » ka'ăšèr 'ăbélîm yᵉnaḥèm *H*.

---

a) Avec la majorité des critiques, nous transposons les vv. 21-25 avant le v. 11. Ils font suite aux précédents et le v. 11 semble être la conclusion de 21-25. Enfin le contraste établi par **30** 1 s est annoncé par **29** 20. Il doit s'agir d'un déplacement accidentel dans la transmission manuscrite.

b) La dernière pluie de printemps en Palestine, la pluie bienfaisante par excellence (cf. Dt **11** 14; Jr **3** 3; Jc **5** 7). Cf. Dt **32** 2.

c) Cf. Pr **16** 15.

d) Cf. Ps **72** 12. Sur d'autres points encore, Job, contrairement à l'imputation d'Éliphaz (**22** 6-9), se conformait, dans son rôle de Cheik, au miroir du prince idéal (cf. aussi Is **11** 4-5).

e) La justice est fréquemment comparée à un vêtement : **19** 9; Ps **132** 9, 16, 18. Images analogues, appliquées au Dieu du jugement, dans Is **59** 17.

15 J'étais les yeux de l'aveugle,
    les pieds du boiteux [a].

16 C'était moi le père [b] des pauvres;
    la cause d'un inconnu, je l'examinais.

17 Je brisais les crocs de l'homme inique,
    d'entre ses dents, j'arrachais sa proie.

18 Et je disais : « Je mourrai dans ma fierté,
    après des jours nombreux, comme le palmier [c].

19 Mes racines ont accès à l'eau,
    la rosée se dépose la nuit sur mon feuillage.

20 Mon prestige gardera sa fraîcheur
    et dans ma main mon arc [d] reprendra force. »

B. Détresse présente.

30.   1 Et maintenant, je suis la risée
    de gens qui sont plus jeunes que moi,
    et dont les pères étaient trop vils à mes yeux
    pour les mêler aux chiens de mon troupeau [e].

---

18. « *dans ma fierté* » qarnî *conj.* (*cf.* **16** 15); « *avec mon nid* » qinnî *H*. — « *comme le palmier* » keⁿaḥal *G Syr* ; « *comme le sable* » kaḥôl *H*.

---

a) Les infirmes que Job assistait. Ils étaient ordinairement méprisés, mais déjà les prophètes leur avaient promis les biens messianiques (cf. Jr **31** 8).

b) Soit parce qu'il subvenait à leurs besoins, soit parce qu'il les protégeait en justice (cf. le second hémistiche et Ex **22** 20). Le roi juste était le « père » de son peuple (cf. Is **22** 21).

c) Cf. Ps **1** 1-3.

d) L'arc symbolise la force (cf. Gn **49** 24). « Briser l'arc » de quelqu'un (Jr **49** 35; Os **1** 5), c'était le réduire à l'impuissance.

e) Job se fait dur et méprisant (sur le terme injurieux qu'il emploie, cf. 1 S **17** 43). Vis-à-vis de ce rebut de la société il ne manifeste plus la sympathie qui transparaissait dans **24** 4 s. L'existence de cette classe de parias projette une lueur très sombre sur l'état social qui l'occasionnait ou l'acceptait.

² Aussi bien, la force de leurs mains m'eût été inutile :
   ils avaient perdu toute vigueur,
 ³ épuisée par la disette et la famine.
 Ils rongeaient les racines de la steppe,
   les broussailles*ᵃ* des ruines désolées.
 ⁴ Ils cueillaient l'arroche et les feuilles des buissons,
   faisaient leur pain des racines du genêt.
 ⁵ Bannis de la société des hommes,
   qui les hue comme des voleurs,
 ⁶ ils logeaient au flanc des ravins,
   dans les grottes ou les crevasses du rocher.
 ⁷ Des buissons, on les entendait braire,
   ils s'entassaient sous les chardons.
 ⁸ Leurs fils de même sont une vile engeance,
   des êtres sans nom que le pays rejette.
 ⁹ Et maintenant, voilà qu'ils me chansonnent,
   qu'ils font de moi leur fable*ᵇ* !
 ¹⁰ Saisis d'horreur, ils se tiennent à distance,
   devant moi, ils crachent sans retenue.
 ¹¹ Et parce qu'Il*ᶜ* a détendu mon arc et m'a terrassé,
   ils rejettent le mors de leur bouche.

---

30 2. « *ils avaient perdu toute vigueur* » ʿuzzâmô ʾabad kulloh *conj.*; « *sur eux a péri la maturité* (?) » ʾalêmô ʾabad kalah *H*.

   3. « *racines* » *addition d'un mot disparu sans doute du texte par haplographie*.

   4. « *les feuilles* » wᵉʿâlê *conj.*; « *sur (le buisson)* » ʾâlê *H*.

   8. « *Leurs fils... engeance* » : *on lit* bᵉné nabal gam bᵉnéhèm *et on rattache* bᵉlî šém *au second hémistiche* ; « *fils d'homme vil et même d'homme sans nom* » *H*. — « *rejette* », *litt.* « *sont retranchés* » nikᵉrᵉtû *conj.*; « *ils sont frappés* » nikeʿû *H*.

   11. « *mon arc* », *litt.* « *ma corde* » *Qer Syr Targ*; « *sa corde* » *Ket*. — « *de leur bouche* » mippîhèm *conj.*; « *de ma face* » *ou* « *loin de moi* » mippanay *H*.

---

a) « Broussailles » : traduction approximative et conjecturale.

b) Reprise du v. 1. Cf. Lm **3** 14; Ps **69** 13.

c) C'est Dieu qui a « détendu son arc » (cf. **29** 20, note), car le rôle de Satan n'est nulle part rappelé dans le Dialogue.

¹² Leur engeance surgit à ma droite[a],
    me lance des pierres comme projectiles,
    fraie vers moi ses chemins sinistres.
¹³ Ils me ferment toute issue,
    ils attaquent et nul ne les arrête,
¹⁴ ils pénètrent comme par une large brèche
    et je suis roulé sous les décombres.
¹⁵ Les terreurs se tournent contre moi,
    mon assurance est chassée comme par le vent,
    il passe comme un nuage, mon espoir de salut.

¹⁶ Et maintenant, la vie en moi s'écoule,
    les jours de peine m'ont saisi.
¹⁷ La nuit, le mal perce mes os,
    les plaies qui me rongent ne dorment pas.
¹⁸ Avec une grande force, il m'a pris par le vêtement,
    serré au col de ma tunique[b].
¹⁹ Il m'a jeté dans la boue,
    je suis comme poussière et cendre.

---

12. « *me lance... projectiles* » wᵉyirgᵉmûnî bišᵉlahîm *conj.*; *H* wᵉraglay šilléhû *probablement corrompu.*

13. « *ils attaquent* », *litt.* « *ils montent* » yaᶜălû *conj.*; « *ils aident* » yoᶜîlû *H.* — « *ne les arrête* » ᶜoṣér *conj.*; « *ne les aide* » ᶜozér *H.*

14. « *je suis roulé* » *d'après G* ; « *ils se roulent* » *H.*

15. « *est chassée* » *d'après G* ; « *chassé* » *H.*

17. « *le mal* » mahălêh *conj.*; « *de sur moi* » méᶜalay *H.*

18. « *m'a pris* » yitpᵉsénî bᵉ *G* ; « *s'est déguisé* » yithapeś *H.* — « *au (col)* » *Targ* ; « *comme (le col)* » *H.*

---

a) La comparaison des injures subies par Job au siège et à l'assaut d'une ville peut paraître excessive. Les Psalmistes et Job lui-même ailleurs se permettent de tels grossissements. Du reste la signification précise de cette description est marquée par l'expression « à ma droite » (12ᵃ). Ils se font ses accusateurs (cf. Ps **109** 6; Za **3** 1), le traitent comme un coupable et un maudit. Certains préfèrent, mais sans raisons suffisantes, voir dans cette engeance les troupes que Dieu lui-même lance contre Job. Mais c'est un peu plus loin (18-19) que Job parle de cet assaut de Dieu.

b) Image différente dans **16** 12. Ici, celle d'un homme qu'on prend au col pour le terrasser. Le sujet doit être Dieu lui-même.

²⁰ Je crie vers Toi et tu ne réponds pas;
   je me présente et tu restes distrait.
²¹ Tu es devenu cruel à mon égard,
   ta main vigoureuse sur moi s'acharne.
²² Tu m'emportes à cheval sur le vent,
   tu me ballottes par la tempête[a].
²³ Oui, je sais que tu me fais retourner vers la mort,
   vers le rendez-vous de tout vivant.

²⁴ Pourtant, ai-je porté la main sur le pauvre,
   quand, dans sa détresse, il réclamait justice ?
²⁵ N'ai-je pas pleuré sur tous ceux dont la vie est dure,
   éprouvé de la pitié pour l'indigent ?
²⁶ J'espérais le bonheur, et le malheur est venu;
   j'attendais la lumière : voici l'obscurité.
²⁷ Mes entrailles bouillonnent sans relâche[b],
   chaque jour m'apporte la souffrance.
²⁸ Si je m'avance l'air sombre, nul ne me console,
   si je me dresse dans l'assemblée, c'est pour crier.
²⁹ Je suis devenu le frère des chacals
   et le compagnon des autruches.
³⁰ Ma peau sur moi s'est noircie,
   mes os sont brûlés par la fièvre.

---

20. « *tu restes distrait* », litt. « *et tu ne me remarques pas* » : *on ajoute la néga-tion avec Vulg et un ms hébr.*

22. « *par la tempête* » : *on ajoute* « *par* ».

24. « *ai-je porté* » *G ;* « *il ne portait pas* » *H.* — « *sur le pauvre* » bᵉʿonî *conj.;* « *dans les ruines* (?) » bᵉʿî *H.* — « *réclamait justice* » lᵉdîn šiwwéʿa *conj.; H n'a pas de sens.*

28. « *nul ne me console* », litt. « *sans consolation* » bᵉlo' nèḥamah, *conj.;* « *sans soleil* » bᵉlo' ḥammah *H.*

---

a) Simples images, comme les expressions françaises : « être ballotté, flotter à tout vent », de l'état de quelqu'un qui a perdu le contrôle de soi et se trouve le jouet d'un autre. Cet autre est Celui qui « vole sur les ailes du vent, monté sur un chérubin » (Ps **18** 11).

b) Cf. Lm **1** 20; **2** 11. Les entrailles sont le siège des émotions.

> ³¹ Ma harpe est accordée aux chants de deuil,
> ma flûte à la voix des pleureurs*a*.

Apologie de Job *b*.

31. ¹ J'avais fait un pacte avec mes yeux,
au point de ne fixer aucune vierge*c*.

² Or, quel partage Dieu fait-il donc de là-haut,
quel lot Shaddaï assigne-t-il de son ciel ?

³ N'est-ce pas le malheur qu'il réserve à l'injuste,
l'adversité aux hommes iniques ?

⁴ Ne voit-il pas ma conduite,
ne compte-t-il point tous mes pas ?

⁵ Ai-je fait route avec le mensonge,
pressé le pas vers la fausseté*d* ?

---

31 3. « *qu'il réserve* » *mot ajouté* (nakôn), *éliminé par haplographie avec le mot suivant.*

---

a) La harpe (*kinnor*) et la flûte accompagnaient ordinairement les airs joyeux. Le *kinnor* est souvent mentionné à l'occasion des hymnes religieux.

b) En cette protestation d'innocence, la morale de l'A. T. atteint sa plus grande pureté, au point de préluder directement à la morale évangélique. A la différence de la « confession négative » du *Livre des morts* égyptien, dont on l'a rapprochée, elle n'est pas la récitation liturgique, ou efficace par elle-même, de formules toutes faites. C'est un examen de conscience personnel, accordé à la situation de Job, dégagé du souci des transgressions rituelles ou purement matérielles et portant la marque du yahvisme le plus pur. Du *Livre des morts* il y aurait tout au plus quelques réminiscences. — La forme est celle du serment imprécatoire contre soi-même, qu'on réclamait en justice de l'accusé (Ex **22** 9-10; Nb **5** 20-22; 1 R **8** 31-32). L'imprécation manque dans certains cas. Nous avons alors traduit la formule du serment simple (« Si... ») par l'interrogation à sens négatif.

c) Job commence par les fautes les plus secrètes, les désirs mauvais dont les yeux sont l'organe (cf. v. 7). Le premier hémistiche doit garder une portée générale : Job s'était interdit même les fautes intérieures. La Loi défendait l'adultère et les convoitises mauvaises envers la femme du prochain (Ex **20** 14, 17; Dt **5** 17-18). Job étend cette interdiction à toute jeune fille. Même extension en Si **9** 5, pour des raisons utilitaires. De la délicatesse de conscience de Job, le Christ a fait une loi (Mt **5** 27-29).

d) Il s'agit d'abord des fraudes dans les échanges et les marchés. Et Job,

⁶ Qu'il me pèse sur une balance exacte :

    lui, Dieu, reconnaîtra mon innocence !

⁷ Si mes pas ont dévié du droit chemin,

    si mon cœur fut entraîné par mes yeux

    et si une souillure adhère à mes mains*ᵃ*,

⁸ qu'un autre mange ce que j'ai semé

    et que soient arrachées mes jeunes pousses*ᵇ* !

⁹ Si mon cœur fut séduit par une femme,

    si j'ai épié à la porte de mon prochain*ᶜ*,

¹⁰ que ma femme tourne la meule pour autrui

    et que d'autres aient commerce avec elle !

¹¹ J'aurais commis là une impudicité,

    un crime passible de justice,

¹² allumé un feu qui dévore jusqu'à la Perdition,

    il aurait consumé toutes mes récoltes.

¹³ Si j'ai méconnu les droits de mon serviteur,

    de ma servante, dans leurs litiges avec moi*ᵈ*,

---

11. « *passible de justice* » : *on lit* pᵉlîlî *comme au v.* 28 *et avec* Targ Vulg. *Le texte de ce v. est défectueux : il s'agit sans doute d'une glose.*

12. « *aurait consumé* » tiśᵉrop *conj.*; « *aurait déraciné* » tᵉšaréš *H.*

---

se réclamant de la loi du talion, demande à être pesé sur une balance exacte. (L'emploi des faux poids et mesures est fréquemment blâmé dans les écrits de Sagesse : cf. Pr **11** 1; **20** 10.)

a) Autres fautes d'injustice : Job ne s'est pas écarté du chemin de la justice (7ᵃ) en convoitant (7ᵇ) ou s'appropriant (7ᵉ) le bien d'autrui.

b) Plutôt les jeunes plantes qui sortent de terre (cf. Is **34** 1; **42** 5) que ses propres enfants.

c) Job vise le péché d'adultère (cf. Pr **7** 19-20). Que la femme de Job devienne alors la servante (celle qui tourne la meule, cf. Ex **11** 5; Is **47** 2) et la concubine d'un autre. L'adultère qui mène à la Perdition (cf. **26** 6) était puni de mort par la justice israélite (Dt **22** 22-24; Pr **6** 32-35; Jn **8** 4-5); même secret, il devait être poursuivi par la colère divine. La formulation du v. 12 rappelle Dt **32** 22.

d) La Loi avait toujours tempéré d'humanité les rapports entre maîtres et serviteurs (cf. Ex **21** 2 s; Lv **25** 39 s; Dt **5** 14 s). Dieu se faisait au besoin le défenseur des serviteurs (Jr **34** 8 s), se réservait de les venger (v. **14**, qui applique à ce cas particulier les termes réservés au jugement eschatolo-

¹⁴ que ferai-je quand Dieu surgira ?

Lorsqu'il fera l'enquête, que répondrai-je ?

¹⁵ Ne les a-t-il pas créés comme moi dans le ventre ?

Un même Dieu nous forma dans le sein.

³⁸ᵃ Si ma terre crie vengeance contre moi ᵇ

et que ses sillons pleurent avec elle,

³⁹ si j'ai mangé de ses produits sans l'avoir payée,

fait soupirer ses ouvriers,

⁴⁰ᵃ qu'au lieu du froment y poussent les ronces,

à la place de l'orge, l'herbe fétide ᶜ !

¹⁶ Ai-je été insensible aux besoins des faibles ᵈ,

laissé languir les yeux de la veuve ?

¹⁷ Ai-je mangé seul mon pain,

sans le partager avec l'orphelin ?

¹⁸ Alors que Dieu, dès mon enfance, m'a élevé comme

guidé depuis le sein maternel !   [un père,

¹⁹ Ai-je vu un miséreux sans vêtements,

un pauvre sans couverture,

²⁰ sans que leurs reins m'aient béni,

que la toison de mes agneaux les ait réchauffés ?

---

15. « *les (a créés)* » : *on lit le suffixe pluriel d'après G.*
39. « *ses ouvriers* » po'âlêha *conj.* ; « *ses propriétaires* » be'alêha *H.*
18. « *(m'a) guidé* » *conj.* ; « *je la guidais* » *(ma mère) H.*

---

gique). Le v. 15 fonde les droits des serviteurs sur la condition commune de créatures d'un même Dieu (cf. Pr **22** 2; **17** 5). Saint Paul rappellera que les uns et les autres ont un même Seigneur (Ep **6** 9; Col **4** 1).

a) Les vv. 38-40ᵃ sont certainement déplacés à la fin de l'apologie de Job. Nous les insérons ici, après les strophes qui ont même structure.

b) Autre forme d'injustice : les propriétaires du sol frustrés de leur droit et les ouvriers agricoles de leur salaire. La terre elle-même, souillée, crie vengeance.

c) Traduction approximative d'un mot de la racine « puer ». On identifie cette plante avec la mercuriale ou l'ortie puante. D'autres pensent à l'ivraie.

d) Après la justice, la bienfaisance, inspirée par la reconnaissance envers Dieu (18). Sur ces vv. 16-20, cf. Is **58** 7 et surtout Tb **4** 7-11, 16 (où les motifs sont différents), enfin Mt **25** 35.

²¹ Ai-je agité la main*ᵃ* contre un innocent,
       me sachant soutenu à la Porte ?

²² Qu'alors mon épaule se détache de ma nuque
       et que mon bras se rompe au coude !

²³ Car la terreur de Dieu fondrait sur moi,
       je ne tiendrais pas devant sa majesté.

²⁴ Ai-je placé dans l'or*ᵇ* ma confiance
       et dit à l'or fin : « C'est toi ma sûreté » ?

²⁵ Me suis-je réjoui de mes biens nombreux,
       des richesses acquises par mes mains ?

²⁶ A la vue du soleil*ᶜ* dans son éclat,
       de la lune radieuse dans sa course,

²⁷ mon cœur, en secret, s'est-il laissé séduire,
       pour leur envoyer de la main un baiser ?

²⁸ Ce serait encore une faute criminelle,
       car j'aurais renié le Dieu suprême*ᵈ*.

²⁹ Ai-je pris plaisir à l'infortune de mon ennemi*ᵉ*,
       exulté quand le malheur l'atteignait,

---

21. « *innocent* » tam *conj.*; « *orphelin* » yatôm *H*.
23. « *de Dieu fondrait sur moi* » 'él yè'ĕta' lî *conj.*; « *pour moi le malheur de Dieu* » 'élay 'èd 'él *H*.

---

a) En signe d'hostilité et de menace (cf. Is **11** 15; **19** 16; Za **2** 13), pour l'accabler en justice.

b) L'avarice et aussi la superbe du riche qui croit pouvoir se passer de Dieu (cf. Pr **11** 28; Ps **59** 7; **52** 9; Si **31** 5-10; Mt **6** 24).

c) Après le culte de Mammon, celui des astres. Le culte du soleil et de la lune était courant dans l'Ancien Orient et séduisit Israël (cf. Dt **4** 19; Jr **8** 2; Ez **8** 16). Le baiser était un geste ancien d'adoration (cf. Os **13** 2; I R **19** 18). On l'adressait aussi aux astres.

d) Litt. « le Dieu d'au-dessus ».

e) Job ne parle pas de la vengeance effective, courante et considérée comme normale, bien qu'interdite par certains textes de la Bible (cf. Ex **23** 4-5; Lv **19** 18; Pr **20** 22; **25** 21-22). Allant plus loin, Job n'a pas cédé à la joie maligne que provoque le malheur d'un ennemi (cf. Pr **24** 17), et il ne s'est pas permis de le maudire, habitude toujours fréquente en Orient. Cette attitude encore négative sera dépassée par le message du Christ (Mt **5** 43-48 p).

³⁰ moi, qui ne permettais pas à ma langue de pécher,
    de le vouer à la mort dans une malédiction ?

³¹ Et ne disaient-ils pas, les gens de ma tente :
    « Qui donc n'a-t-il pas rassasié de viande*a* » ?

³² Jamais étranger ne coucha dehors,
    au voyageur ma porte restait ouverte.

³³ Ai-je dissimulé aux hommes mes péchés,
    caché ma faute dans mon sein ?

³⁴ Ai-je eu peur de la rumeur publique,
    ai-je redouté le mépris des familles,
    et me suis-je tenu coi, n'osant franchir ma porte*b* ?

³⁵ Oh ! qui fera donc que Dieu m'écoute ?
    J'ai dit mon dernier mot*c* : à Shaddaï de me ré-
    Le libelle*d* qu'aura rédigé mon adversaire, [pondre !

³⁶ je veux le porter sur mon épaule,
    le ceindre comme un diadème.

---

32. « *au voyageur* » *Vers.*; « *à la route* » *H*.

33. « *aux hommes* » *mé'adam conj.*; *H* « *comme un homme* », *qu'on interprète alors* : « *comme le vulgaire* », *ou* : « *comme Adam* ».

35. « *Dieu* » *'él conj.*; « *à moi* » *lî H*.

36. « *diadème* » 2 *mss hébr. et Vers.*; *pluriel H*.

---

a) L'hospitalité, si prisée en Orient comme dans l'antiquité, est l'occasion d'une consommation abondante de viande. C'est l'une des rares circonstances où les Bédouins égorgent des têtes de bétail. — Vulg traduit très librement : « quis det de carnibus ejus ut saturemur ? »

b) Les vv. 33-34 ne visent pas un péché particulier mais une attitude laissant supposer une faute. Job s'est toujours montré en public comme quelqu'un qui n'a pas à redouter l'opinion (cf. une déclaration analogue du Christ, Jn **18** 20-21). Il est prêt de même à paraître devant Dieu (35-37).

c) Litt. : « voici mon *tav* » (la dernière lettre de l'alphabet). D'autres interprètent : « voici ma signature » et supposent que les illettrés signaient d'une croix (forme du tav dans l'écriture ancienne).

d) Image empruntée sans doute à l'usage juridique. C'est le rouleau portant l'acte d'accusation ou le réquisitoire. Job, sûr de pouvoir le réfuter, veut le porter comme un insigne d'honneur (cf. Is **9** 5; **22** 22). Il comparaîtra, non dans les vêtements sombres d'un accusé (Za **3** 3), mais fier comme un prince.

³⁷ Je lui rendrai compte de tous mes pas
et je m'avancerai vers lui comme un prince^a.

^{40b} Fin des paroles de Job^b.

III

LES DISCOURS D'ÉLIHU

Intervention d'Élihu^c.

32. ¹ Ces trois hommes cessèrent de répondre à Job parce qu'il s'estimait juste^d.
² Mais voici qu'entra en fureur Élihu, fils de Barakéel le Buzite, du clan de Ram. Sa colère s'enflamma contre Job parce qu'il prétendait avoir raison contre Dieu; ³ elle s'enflamma également contre ses trois amis, qui n'avaient plus rien trouvé à répliquer et ainsi avaient laissé les torts à Dieu. ⁴ Tandis qu'ils parlaient, Élihu s'était tenu sur la réserve, car ils étaient ses anciens. ⁵ Mais quand il vit que ces trois hommes n'avaient plus de réponse à la

---

32 3. « *les torts à Dieu* »; *le texte porte* « *à Job* », *correction des scribes.*
4. « *Tandis qu'ils parlaient* » *correction et on supprime* « *Job* »; « (*avait attendu*) *Job en paroles* » *H.*

a) Les vv. 38-40^a sont transposés après le v. 15.
b) Notice d'un rédacteur, analogue à celle de Ps **72** 20; Jr **51** 64. Elle ne marque pas la fin d'un livre de Job primitif, mais de la fin des poèmes attribués à Job.
c) Sur ce personnage et ses discours, cf. Introd., pp. 12-13.
d) « s'estimait juste », litt. : « était juste à ses yeux ». Beaucoup de critiques lisent, avec un ms hébr., G et Syr. : « à leurs yeux ». — Après son apologie finale, les trois amis constatent que rien ne pourra ébranler Job dans la conviction de son innocence et que toute parole est désormais superflue. D'autres exégètes pensent qu'ils sont persuadés maintenant de la justice de Job (cf. note critique).

bouche, sa fureur éclata. ⁶ Et il prit la parole, lui, Élihu,
fils de Barakéel le Buzite, et il dit :

Exorde.

Je suis tout jeune encore,
  et vous êtes des anciens;
aussi je craignais, intimidé,
  de vous manifester mon savoir.
⁷ Je me disais : « L'âge parlera,
  les années nombreuses livreront la sagesse. »
⁸ A la vérité, c'est un souffle dans l'homme,
  c'est l'inspiration*a* de Shaddaï qui rend intelligent.
⁹ Le grand âge ne donne pas la sagesse,
  ni la vieillesse le sens du juste.
¹⁰ Aussi, je vous invite à m'écouter,
  car je vais manifester, à mon tour, mon savoir.
¹¹ Jusqu'ici, j'attendais beaucoup de vos paroles,
  j'ouvrais l'oreille à vos raisonnements,
tandis que chacun cherchait ses mots.
¹² Sur vous se fixait mon attention.

---

10. « *à m'écouter* », litt. « *écoutez-moi* », *un ms hébr. G Syr Vulg ; « écoute-moi* » H.

---

a) A la sagesse acquise par l'expérience et la réflexion humaines, Élihu
oppose la sagesse charismatique. La première, cultivée dans les cercles
des Sages, résidait par excellence chez les vieillards, qui possèdent l'expérience et la tradition (cf. **12** 12; **15** 10; Si **25** 4-6). Ces milieux, qui avaient
acclimaté en Israël la sagesse internationale de l'Orient, n'avaient certes
jamais perdu de vue la primauté de la sagesse divine sur celle de l'homme
(cf. Pr **21** 30), ni la corrélation entre sagesse et justice (cf. Pr **1** 7; **10** 31;
15 33; Ps **119** 99-100), ni la conviction que c'est Dieu qui donne la sagesse
(Pr **2** 6; **16** 33). Mais c'est en dehors d'eux que nous entendons parler
d'abord d'une sagesse inspirée (cf. Is **11** 2; Gn **41** 38-39). Il en résulta une
compénétration de la Sagesse par l'Esprit, attestée aussi dans Gn **5** 11, 12,
14, et poussée très loin par l'auteur du Livre de la Sagesse, Sg **1** 5-7 ; **7** 22-
23; **9** 17, jusqu'aux nouveaux développements du N. T. (cf. 1 Co **2** 6 s).
Le Christ, « Sagesse de Dieu » (*ibid.*, **1** 24) possède l'Esprit et le communique.

Et je vois qu'aucun n'a confondu Job,
nul d'entre vous n'a réfuté ses dires.

¹³ Ne dites donc pas : « Nous avons trouvé la sagesse;
notre doctrine est divine, non humaine*a*. »

¹⁴ Ce n'est pas ainsi que je discuterai,
je répliquerai à Job en d'autres termes.

¹⁵ Ils sont restés interdits, sans réponse;
les mots leur ont manqué.

¹⁶ Et j'attendais ! Puisqu'ils ne parlent plus,
qu'ils ont cessé de donner la réplique,

¹⁷ je prendrai la parole à mon tour,
je montrerai moi aussi mon savoir.

¹⁸ Car je suis plein de mots,
oppressé par un souffle intérieur*b*.

¹⁹ En mon sein, c'est comme un vin nouveau cherchant
et qui fait éclater des outres neuves*c*. [issue

²⁰ Parler me soulagera,
j'ouvrirai les lèvres et je répondrai.

²¹ Je ne prendrai le parti de personne,
à aucun je ne donnerai de titres flatteurs.

²² Je ne sais point flatter :
car mon Créateur me supprimerait sous peu.

---

13. « *notre doctrine* », *litt.* « *nous instruit* » 'ill⁼panû, *conj.*; « *le chasse* » yid-panû *H*.

14. « *ainsi* » kᵉ'élleh *d'après G ;* « *à moi* » 'élay *H*.

19. « *et qui fait… neuves* » *conj.*; « *comme des outres neuves, il* (?) *éclate* » *H*.

a) Élihu force les affirmations de ceux qu'il critique. Les amis de Job n'ont pas prétendu avoir trouvé la Sagesse, mais ils ont parlé comme s'ils avaient une connaissance supérieure et certaine des voies de Dieu (cf. **11** 6), comme s'ils étaient instruits par Dieu. Éliphaz se prévaut aussi d'une révélation (**4** 12 s).

b) Reprise en termes assez réalistes de l'idée du v. 8. Le Siracide se sert d'une image plus gracieuse (Si **24** 28-31).

c) Cf. Jr **20** 9; Mt **9** 17 p.

La présomption de Job.

33. ¹ Mais veuille, Job, écouter mes dires,
  tends l'oreille à toutes mes paroles.

² Voici que j'ouvre la bouche
  et ma langue articule des mots sur mon palais *ᵃ*.

³ Mon cœur livrera des paroles de sagesse,
  mes lèvres diront la pure vérité.

⁵ Si tu le peux, réponds-moi !
  mets-toi en garde, contre moi prends position !

⁶ Vois, je suis ton égal, non un dieu,
  comme toi, d'argile je fus pétri.

⁴ C'est le souffle de Dieu qui m'a fait,
  l'haleine de Shaddaï qui m'anima *ᵇ*.

⁷ Aussi ma terreur ne t'effraiera point,
  ma main ne pèsera pas sur toi *ᶜ*.

⁸ Comment as-tu pu dire à mes oreilles
  — car j'ai entendu le son de tes paroles :

⁹ « Je suis pur, sans péché;
  je suis intact, sans faute *ᵈ*.

---

33 3. *« livrera » : on lit un verbe signifiant divulguer, manifester. Le mot « sagesse »
est tiré du second hémistiche.*

6. *« non un dieu » conj.; « pour Dieu » H.*

7. *« ma main » kapî G ; H 'akpî obscur. — « ne pèsera pas » : on lit le verbe
au féminin.*

---

a) Style oratoire laborieux dont nous avons d'autres exemples un peu
plus loin. L'auteur veut-il marquer ainsi la jeunesse quelque peu préten-
tieuse d'Élihu, bien que cette ironie ne s'étende certainement pas au fond
même des discours ? Ou bien s'essaie-t-il maladroitement au style oratoire ? De toute façon, il y a une différence très accusée avec le Dialogue.

b) Cf. Gn **2** 7. Tous les fils d'Adam sont donc égaux (cf. **10** 12).

c) Élihu reprend **13** 21 (Job).

d) Ce n'est pas une citation littérale mais un résumé de plusieurs déclarations de Job (**10** 7; **16** 17; **23** 10; **27** 5) et de son apologie finale. Comme

10 Mais Il invente des prétextes contre moi
   et il me considère comme son ennemi[a].

11 Il met mes pieds dans les ceps
   et surveille toutes mes démarches » ?

12 Or, en cela, je t'en réponds, tu as eu tort,
   car Dieu dépasse l'homme.

13 Pourquoi le chicanes-tu
   parce qu'il ne te répond pas mot pour mot ?

14 Dieu parle d'une façon
   et puis d'une autre, sans qu'on prête attention.

15 Par des songes, par des visions nocturnes[b],
   quand une torpeur s'abat sur les humains
   et qu'ils sont endormis sur leur couche,

16 alors il parle à l'oreille de l'homme,
   par des apparitions il l'épouvante,

17 pour le détourner de ses œuvres
   et mettre fin à son orgueil,

18 pour préserver son âme de la fosse,
   sa vie du conduit souterrain[c]

---

10. *« des prétextes »* tô‘ănôt *Syr ; « des inimitiés »* tᵉnû‘ôt *H.*

13. *« mot pour mot », litt. « à toutes tes paroles », conj.; « à toutes ses paroles » H.*

16ᵇ *corrigé :* bᵉmarᵉ‘îm yᵉḥitém *d'après G ; « et par leur correction (ou : leur lien) il scelle »* bᵉmosaram yaḥᵉtom *H.*

17. *Dans les deux hémistiches, H répète le mot « homme » avec deux synonymes.* — *« de ses œuvres » Vulg Targ ; « de l'œuvre » H.* — *« mettre fin »* yᵉkasséaḥ *conj.; « cacher, couvrir »* yᵉkasseh *H.*

---

le montre la suite, il s'agit de fautes réelles et personnelles, non de cette impureté foncière de l'homme que Job a admise sans conteste.

a) Le premier hémistiche est une citation interprétative de tous les textes où Dieu est dit poursuivre Job sans raison; le second reproduit **13** 24 (cf. aussi **19** 11). Le v. suivant reprend **13** 27.

b) Éliphaz s'était déjà prévalu d'une telle révélation (cf. **4** 12-16). Mais Élihu pense plutôt à un avertissement menaçant. Il se rappelle sans doute Gn **20** 3; **41** 1 s. Cf. encore Dn **4** 2 s.

c) Le mot hébreu semble désigner le conduit souterrain qui mène au shéol. D'autres l'entendent d'une arme de trait, symbolisant ici la mort violente ou le châtiment divin.

¹⁹ Il le corrige aussi^{*a*} sur son grabat par la souffrance,
    quand ses os tremblent sans arrêt,
²⁰ quand sa vie prend en dégoût la nourriture
    et son appétit les friandises ;
²¹ quand sa chair se consume à vue d'œil
    et qu'apparaissent ses os dénudés ;
²² quand son âme approche de la fosse
    et sa vie du séjour des morts.
²³ Alors s'il se trouve près de lui un Ange,
    un Médiateur^{*b*} pris entre mille,
    qui rappelle à l'homme son devoir,
²⁴ le prenne en pitié et déclare :
    « Exempte-le de descendre dans la fosse :
    j'ai trouvé la rançon pour sa vie »,
²⁵ sa chair retrouve une fraîcheur juvénile,
    il revient aux jours de son adolescence.

---

20. « *prend en dégoût* » *conj.* ; « *le prend en dégoût* » H.
21. « *dénudés* » *Qer Vulg* (*cf.* Is **13** 2).
22. « *séjour des morts* » meqôm metîm *d'après* G ; « *de ceux qui font mourir* » memitîm H.
24. « *Exempte-le* » pedéhû *Syr Vulg* ; « *Relâche-le* » pera'éhû *deux mss hébr.* ; H peda'éhû *inintelligible.* — « *pour sa vie* » *ajouté.*
25. « *retrouve une fraîcheur* », *litt.* « *redevient fraîche* » yirṭab *conj.* ; H ruṭăpaš *obscur.*

---

a) Après la révélation, vv. 15-18, seconde manière (cf. v. 14) dont Dieu parle à l'homme : une épreuve comme celle de Job. — Cf. Dt **8** 5 ; Pr **3** 12.
b) Litt. « un interprète ». Cette médiation d'un ange est une idée originale d'Élihu : l'ange « interprète » au malade le sens de son mal, lui ouvre les yeux sur ses fautes (27) et intercède pour lui auprès de Dieu (24). Cf. **5** 1 et la note. Cette conception a des attaches dans l'A. T. : l'intercession des hommes justes (cf. **42** 8 s, note, et 2 M **3** 31-34) et l'expiation pour autrui (Is **53** 10), la médiation des anges dans les révélations prophétiques (Ez et Za), leur intervention pour protéger l'homme (Ps **91** 11-13) ou pour transmettre ses prières (Tb **12** 12 ; plus tard Ap **8** 3 s), leur intercession enfin, supposée déjà par Éliphaz (**5** 1) et que la littérature juive apocryphe illustrera. A la lumière de la révélation chrétienne, cet ange pris parmi les myriades célestes s'identifierait aisément avec l' « ange gardien » (cf. Tb **5** 4 s) qui veille sur chaque individu (Mt **18** 10 ; Ac **12** 15).

26 Il prie Dieu qui lui rend sa faveur,
   il vient Le voir dans l'allégresse.

Il annonce aux autres sa justification
27 et fait entendre devant les hommes ce cantique[a] :
« J'avais péché et perverti le droit :
   Dieu ne m'a pas traité selon ma faute.
28 Il a exempté mon âme de passer par la fosse,
   il maintient ma vie sous la lumière. »
29 Voilà tout ce que fait Dieu,
   deux fois, trois fois pour l'homme,
30 afin d'arracher son âme à la fosse
   et de laisser briller sur lui la lumière des vivants.

31 Sois attentif, Job, écoute-moi bien :
   tais-toi, j'ai encore à parler.
32 Si tu as quelque chose à dire, réplique-moi,
   parle, car je veux te donner raison.
33 Sinon, écoute-moi :
   fais silence, et je t'enseignerai la sagesse.

L'échec des trois Sages à disculper Dieu.

34. 1 Élihu reprit son discours et dit :

     2 Et vous, les sages, écoutez mes paroles,
        vous, les savants, prêtez-moi l'oreille.
     3 Car l'oreille apprécie les discours
        comme le palais goûte les mets[b].

---

26. « *annonce* » y^{e}baśśér *conj.*; « *rend* » yašèb *H*.
27. « *ne m'a pas... faute* » w^{e}él lo' šiwwa lî *d'après G*; « *et il n'y a pas eu d'égalité pour moi* » w^{e}lo' šawah lî *H*.

a) Le Psautier nous donne quelques exemples de ces cantiques d'actions de grâces (cf. Ps 22 26; 30; 66; 116).
b) Reprise de 12 11.

⁴ Examinons ensemble ce qui est juste,
   voyons entre nous ce qui est bien.

⁵ Job a dit : « Je suis dans mon droit
   et Dieu me refuse justice[a].

⁶ Mon juge envers moi se montre cruel[b];
   ma plaie est incurable et je n'ai point péché. »

⁷ Où trouver un homme tel que Job,
   qui boive le sarcasme[c] comme l'eau[d],

⁸ fasse route avec les fauteurs d'iniquité,
   marche du même pas que les méchants ?

⁹ N'a-t-il pas dit : « Que sert à l'homme
   de rechercher le bon plaisir de Dieu » ?

¹⁰ Aussi écoutez-moi, en hommes de sens.
   Dieu est si éloigné du mal,
      Shaddaï, de l'injustice,

¹¹ qu'il rend à l'homme selon ses œuvres[e],
   traite chacun d'après sa conduite.

¹² En vérité, Dieu n'agit jamais mal,
   Shaddaï ne fait pas fléchir le droit.

---

34 6. « *Mon juge... cruel* » 'alay mᵉšopṭî (*cf.* **9** 15) 'akzar (**30** 21) *conj.*; « *Au sujet de mon droit, je mens* » *'al mišpaṭi 'ăkzér H.* — « *ma plaie* » maḥăṣi *conj.* (*cf. Is* **30** 26); « *ma flèche* » ḥiṣṣî *H.*

---

a) Cf. **27** 2.

b) Cf. **9** 15 et **30** 21. Le second hémistiche résume les textes où Job affirme ignorer la raison de cette sentence de mort inscrite dans sa chair.

c) Élihu, se méprenant sur l'attitude religieuse de Job (dont les plaintes amères sont résumées par la citation du v. 9), l'assimile à ces « railleurs » dont parle souvent la littérature sapientielle (une définition dans Pr **21** 24) et qui, vivant comme si Dieu n'existait pas, tournent leur ironie hautaine et méprisante contre les vérités religieuses.

d) Cf. **15** 16.

e) Énoncé classique de la thèse de la rétribution (cf. Ps **62** 13; Pr **24** 12 ; Si **16** 14). Le N. T. en renvoie la réalisation au dernier Jour (Mt **16** 27; Rm **2** 6).

¹³ Autrement qui donc aurait confié la terre à ses soins *ᵃ*,
    l'aurait chargé de l'univers entier ?

¹⁴ S'il ramenait à lui son souffle,
    s'il concentrait en lui son haleine,

¹⁵ toute chair expirerait à la fois
    et l'homme retournerait à la poussière.

¹⁶ Si tu peux comprendre, écoute ceci,
    prête l'oreille au son de mes paroles.

¹⁷ Un ennemi du droit saurait-il gouverner *ᵇ* ?
    Oserais-tu condamner le Juste tout-puissant ?

¹⁸ Lui, qui dit à un roi : « Vaurien ! »
    traite les nobles de méchants,

¹⁹ ignore la partialité envers les princes
    et ne distingue pas du pauvre l'homme impor-
    Car tous sont l'œuvre de ses mains.   [tant *ᶜ*.

---

13. « *confié la terre à ses soins* », litt. « *lui aurait confié sa terre* » : 'arṣô *avec un ms hébr.*

14. « *ramenait* » yaṣib *quelques mss hébr. Syr G* ; « *appliquait* » yaśîm *H Qer.* — « *son souffle* », *premier mot du second hémistiche, rattaché ici. On omet* « *son cœur* ».

18. « *Lui, qui dit* » : *on lit le participe présent avec Vers.*

---

a) Le sens de l'argumentation paraît être le suivant : Dieu ne régit pas l'univers en second, comme si c'était l'œuvre d'un autre. C'est son œuvre à lui, animée de son souffle (cf. Ps **104** 29-30). N'appliquant pas le droit d'un autre, il n'est pas exposé à violer la justice par intérêt personnel.

b) Prise comme telle, cette déclaration serait une pétition de principe. Rapprochée de ce qui précède (cf. note précédente), elle doit s'entendre d'un gouvernement exercé par une autorité suprême, qui a fondé le droit dans l'univers en le créant. Taxer la Providence d'injustice, c'est admettre l'incohérence dans l'univers. Le second hémistiche, développé dans les vv. suivants, insiste sur l'idée que la toute-puissance est associée en Dieu à la justice. A ce titre Dieu fait régner le droit sans céder à la contrainte. Un peu plus loin (v. 21, cf. v. 25) Élihu alléguera dans le même sens l'omniscience de Dieu. Premiers essais d'un mode de raisonnement théologique qu'on retrouvera, plus vigoureux, au livre de la Sagesse (cf. Sg **11** 20-26; **12** 11-18).

c) Cf. Is **40** 23-24.

²⁰ En un instant ils meurent et passent,
en pleine nuit les grands périssent,
et il écarte un tyran sans effort.

²¹ Car ses yeux surveillent les voies de l'homme,
il en observe tous les pas.

²² Pas de ténèbre ou d'ombre épaisse
qui puissent cacher les fauteurs d'iniquité.

²³ Il n'envoie pas d'assignation à l'homme,
pour qu'il se présente devant Dieu en justice.

²⁴ Il brise les grands sans enquête
et en met d'autres à leur place.

²⁵ C'est qu'il connaît leurs œuvres !
Une belle nuit, il les renverse et on les piétine.

²⁶ Pour leur méchanceté, il les soufflette,
en public, il les enchaîne.

²⁷ Si l'on réplique[a] : « Ils se sont détournés de lui,
ont méconnu toutes ses voies,

²⁸ jusqu'à faire monter vers lui le cri du pauvre,
lui faire entendre l'appel des humbles ;

²⁹ et lui reste immobile et nul ne l'ébranle,
il voile sa face et nul ne l'aperçoit »,
c'est qu'il prend en pitié nations et individus,

---

20. « *et passent* » tiré de 20^b. — « *les grands périssent* » *yigwă'û šo'îm conj.*;
« *sont ébranlés, le peuple* » *yᵉno'ašû 'am H.* — « *il écarte* » : *sing. avec un ms hébr.*

23. « *assignation* » *mô'éd conj.*; *H inintelligible.*

25. « *les renverse* » : *on ajoute le suffixe avec Syr.*

26-33. *Texte très corrompu. G a omis entièrement la traduction des vv.* 28-33.

26. « *Pour leur méchanceté* » *conj.*; « *A la place des méchants* » *H.* — « *les enchaîne* » : *verbe 'ăšaram restitué d'après* **36** 13 *et le mot suivant.*

27. « *Si l'on réplique* », *litt.* « *sur ce que* » *'al 'ăšer conj.*; *H 'ăšer 'al.*

29. « *ébranle* » *yarᵉîš conj.*; « *condamne* » *yarᵉši'a H.* — « *prend en pitié* » *yaḥon conj.*; « *ensemble, pareillement* » *yaḥad H.*

---

a) Objection tirée des faits : le cas des impies notoires épargnés par le châtiment. C'est, répond Élihu, que la justice fut alors tempérée par la miséricorde (cf. Sg **11** 23; **12** 2).

30 délivre un impie des filets de l'affliction.

31 Quand celui-ci dit à Dieu :

« Je fus séduit, je ne ferai plus le mal.

32 Si j'ai péché, instruis-moi,

si j'ai commis l'injustice, je ne recommencerai

33 est-ce que d'après toi, Il devrait punir[a],   [plus »,

puisque tu rejettes ses décisions ?

Comme c'est toi qui choisis et non pas moi,

fais-nous part de ta science !

34 Mais des gens sensés me diront,

ainsi que tout sage qui m'écoute :

35 « Job ne parle pas savamment,

ses propos manquent d'intelligence.

36 Veuille donc l'examiner à fond,

pour ses réponses dignes de celles des méchants.

37 Car il ajoute à son péché la rébellion,

met en doute le droit parmi nous

et multiplie contre Dieu ses paroles. »

---

30. « *délivre* » yimšok *conj.* — « *affliction* » 'onî *conj.* (*cf.* **36** 8); *le mot* 'adam, *supprimé, doit provenir du v. précédent ; « pour que ne règne* (mimmlok) *aucun homme impie, des pièges du peuple* ('am) » H.

31. « *dit à Dieu* » : *on lit* 'èl 'ĕlôah 'amar. — « *Je fus séduit* » niššé'tî *conj.*; « *J'ai porté* » naša'tî H. — « *ne... plus* » *tiré du premier mot de* 32ª.

32. « *Si j'ai péché* » *Syr Vulg* ; H *corrompu.*

33. « *ses décisions* » *ajouté pour le sens. Un complément doit manquer, le verbe n'étant jamais employé absolument.*

36. « *Veuille donc* » *traduction libre d'un mot qui doit être corrompu* (*litt.* « *mon père* »). *Certains lisent* « *Je t'en prie* », *d'autres avec G Syr* « *mais* ». — « *dignes de celles* » *litt.* « *comme* (*les méchants*) », *conj.*; « *parmi* (*les méchants*) » H.

37. « *met en doute le droit* » yasîp ḥôq *conj.*; « *bat des mains* » yispôq H.

---

a) Cet argument *ad hominem* va plus profond qu'il ne paraît. Quand il juge la conduite de Dieu, Job se laisse guider par une conception rigide de la justice distributive divine. Si cette loi était sans exception, Dieu ne devrait pas pardonner. On pourrait conclure que Job ne doit pas juger de son propre cas selon cette loi, mais penser que Dieu l'éprouve pour d'autres raisons. Élihu en conclut, lui, que Job est imperméable au repentir, puisqu'il ne consent pas à s'humilier et qu'il « ajoute à son péché la rébellion » (37).

Dieu n'est pas indifférent aux affaires humaines.

35. ¹ Élihu reprit son discours et dit :

² Crois-tu assurer ton droit,
    affirmer ta justice devant Dieu,
³ d'oser lui dire : « Que t'importe,
    que t'ai-je fait si j'ai péché » ?
⁴ Eh bien ! moi, je te répondrai,
    et à tes amis en même temps[a].

⁵ Considère les cieux et regarde,
    vois comme les nuages sont plus élevés que toi[b] !
⁶ Si tu pèches, en quoi l'atteins-tu ?
    Si tu multiplies tes offenses, lui fais-tu quelque
⁷ Si tu es juste, que lui donnes-tu,   [mal ?
    ou que reçoit-il de ta main[c] ?
⁸ Ce sont tes semblables qu'affecte ta méchanceté,
    des mortels que concerne ta justice.
⁹ Mais lorsqu'on gémit[d] sous le poids de l'oppression,
    qu'on crie sous la tyrannie des grands,
¹⁰ nul ne pense à dire : « Où est Dieu, mon auteur,
    lui qui fait éclater dans la nuit les chants d'allé-
                            [gresse,

---

35 3. « *que t'ai-je fait si j'ai péché* » mah 'èpᵉ'al 'im ḥaṭa'tı *d'après G Vulg ;*
« *à quoi me sert (d'être) sans péché* » mah 'o'îl méḥaṭa'tî H.

---

a) Élihu relève, pour les mettre au point, d'autres paroles de Job (3, 13-15, cf. 7 20).

b) Élihu sous-entend : *a fortiori* Dieu est au-dessus de l'homme et hors de ses atteintes.

c) Cf. 22 3.

d) Élihu semble envisager le cas de ceux qui sont précisément atteints par la méchanceté d'autrui. Si l'oppression continue de peser sur eux, c'est qu'ils manquent de foi en Dieu qui, même au sein des ténèbres, peut faire luire la délivrance. Au lieu de la lui demander, ils se raidissent par orgueil.

[11] qui nous rend plus avisés que les bêtes sauvages,
plus sages que les oiseaux du ciel ? »
[12] Alors on crie sans qu'il réponde,
à cause de l'orgueil des méchants.
[13] Mais quelle vanité de prétendre que Dieu n'entend
que Shaddaï ne remarque rien[a] !   [pas,
[14] Tu prétends même : « Il ne me voit pas,
mon procès est ouvert devant lui et je l'attends
[15] Ou encore : « Sa colère ne châtie pas,   [toujours. »
et il semble ignorer la révolte de l'homme[b]. »
[16] Job, alors, ouvre la bouche pour parler dans le vide,
par ignorance, il multiplie les mots.

Le vrai sens des souffrances de Job[c].

36.   [1] Élihu continua et dit :

[2] Patiente un peu et laisse-moi t'instruire,
car je n'ai pas tout dit en faveur de Dieu.
[3] Je veux tirer mon savoir de très loin,
pour justifier mon Créateur.
[4] En vérité, mes paroles ignorent la fausseté
et c'est un homme d'une science accomplie qui
                     [t'entretient.

---

14. « *Il (ne me voit pas)* » *conj.*; « *Tu* » *H.* — « *mon procès* » *conj.*; « *un procès* » *H.* — « *je l'attends* » *conj.*; « *tu l'attends* » *H.*
15. « *la révolte de l'homme* » péšaʿ ʾadam *conj.*; *H corrompu.*

---

a) Éliphaz avait déjà reproché à Job des propos semblables (**22**, 13). Au v. suivant, Élihu prête à Job une conclusion (« Il ne me voit pas ») qu'il n'a pas tirée explicitement.
b) Référence à tout le discours du ch. **21**.
c) L'idée de ce discours n'est pas entièrement neuve : Éliphaz l'avait déjà annoncée et développée (**5** 17; **22** 23-30). Le texte de cette section est trop obscur pour qu'on puisse déterminer l'apport original d'Élihu : le sens de certains vv. reste conjectural et l'enchaînement des idées en souffre certainement.

[5] Dieu ne rejette pas l'homme sans reproche,
   [6] il ne laisse pas vivre le méchant en pleine force.
Il rend justice aux pauvres,
   [7] fait prévaloir les droits du juste.
Lorsqu'il élève des rois au trône
   et que s'exaltent ceux qui siègent pour toujours[a],
   [8] alors il les lie avec des chaînes,
   ils sont pris dans les liens de l'affliction.
   [9] Il les éclaire sur leurs actes,
   sur les fautes d'orgueil qu'ils ont commises.
   [10] A leurs oreilles il fait entendre un avertissement,
   leur prescrit de se convertir[b].
   [11] S'ils écoutent et sont dociles,
   leurs jours s'achèvent dans le bonheur
   et leurs années dans les délices.
   [12] Sinon, un trait les fait périr
   et ils meurent à l'improviste.
   [13] Oui, les endurcis, qui gardent leur colère
   et ne crient pas à l'aide quand il les enchaîne,
   [14] meurent en pleine jeunesse
   et leur vie est méprisée[c].
   [15] Mais il sauve le malheureux par sa misère,
   lui ouvre les yeux[d] dans sa détresse.

---

36 5. « *Dieu... reproche* » hèn 'él b^ebar léb lo' yime^eas *conj.*; « *Dieu est puissant et il ne rejette pas, puissant en force du cœur* (?) » hèn 'el kabbîr w^elo' yime^eas H.
  6. « *en pleine force* » kabbîr koah *tiré du v. précédent.*
  7. « *les droits* », litt. « *son droit* » dînô, *conj.*; « *ses yeux* » 'ènayw H. — « *Lorsqu'il élève* » *conj.* bíś^eét; H a ét *particule de l'accusatif.* — « *ceux qui siègent* » *conj.*; « *et les fait siéger* » H.
  8. « *alors il les lie* » 'az ya'asrèm *conj.*; H corrompu.
  13. « *gardent* » yiśm^erû *conj.*; H n'a pas de sens acceptable.

a) Allusion possible à l'histoire de Manassé (cf. 2 Ch **33** 11-13).
b) Dans **33** 23, où il s'agissait de maladie mortelle, c'était le rôle de l'ange interprète ou médiateur.
c) « leur vie est méprisée », litt. : « leur vie parmi les hiérodules ».
d) Litt. « lui ouvre l'oreille » : lui fait comprendre.

16 Toi aussi, il veut t'arracher à l'angoisse.

Auparavant, tu jouissais d'une abondance sans res-
la graisse débordait sur ta table.   [triction,

17 Mais tu ne faisais pas justice des méchants,
tu décevais le droit de l'orphelin.

18 Prends garde désormais d'être séduit par l'abon-
corrompu par de riches présents.   [dance,

19 Fais comparaître le riche comme l'homme sans or,
l'homme au bras puissant comme le faible.

20 N'écrase pas ceux qui te sont étrangers
pour mettre à leur place ta parenté[a].

21 Garde-toi de te porter vers l'injustice,
cause véritable de ton épreuve.

Hymne à la Sagesse toute-puissante[b].

22 Vois, Dieu est sublime par sa force
et quel maître lui comparer ?

23 Qui lui a indiqué la voie à suivre,
qui oserait lui dire : « Tu as mal agi »[c] ?

---

16. « *la graisse... table* » : *on omet le mot* naḥat (*dittographie*).

17. « *Mais... méchants* » : *H coupe différemment et n'a pas de sens.* — « *déce-vais... orphelin* » wûmišpaṭ yᵉtom kazab *conj.*; « *ils saisiront le droit* » wûmiš-paṭ yitᵉmokû *H.*

18. « *Prends garde* » : *on lit* ḥămeh *et on omet* kî; « *la colère* » hémah *H*

19ᵃ. ḥaʿᵃrek ʿašir kibᵉloʾ bᵉsar *conj.*; « *Disposera-t-il ton cri dans 'an-goisse* » hăyaʿᵃrok suʿăka loʾ bᵉsar *H.* — 19ᵇ wᵉdallîm wᵉʾ ammiṣṣê koah *conj.*; « *et tous les efforts de la force* (?) » wᵉkol méʾ ămazzê koah *H.*

20. « *ceux qui te sont étrangers* » habᵉlîlᵉka *conj.*; « *(ne soupire pas) après la nuit* » hallaylah *H.* — « *ta parenté* » *conj.*; « *des peuples* » *H.*

21. « *épreuve* », *litt.* « *tu es éprouvé par* » : *on lit le passif d'après Syr.*

---

a) Le texte de 16-20 est très abîmé. La traduction conjecturale donnée ici reproche à Job surtout des fautes d'omission, commises par excès de richesse et de puissance. Elle rappelle **22** 23-30.

b) Semblable passage de l'interprétation des voies de Dieu à l'éloge de sa Puissance et de sa Sagesse dans Rm **11** 33. — Si **42** 15-**43** 33 semble s'inspirer librement de la description qui suit.

c) Cf. Is **40** 13; Rm **11** 34.

²⁴ Songe plutôt à magnifier son œuvre,
   que l'homme a célébrée par des cantiques.
²⁵ C'est un spectacle admirable offert à tous,
   à distance l'homme la regarde.
²⁶ Oui, Dieu est si grand qu'il dépasse notre science
   et le nombre de ses ans reste incalculable.
²⁷ C'est lui qui retient les gouttes d'eau,
   pulvérise la pluie en brouillard*a*.
²⁸ Ou bien les nuages la déversent,
   la font ruisseler sur la foule humaine.
³¹ Par eux*b* il sustente les peuples,
   leur donne la nourriture en abondance.
²⁹ Qui comprendra encore les déploiements de sa nuée,
   le grondement menaçant de sa tente*c* ?
³⁰ Il étend la nuée dont il s'enveloppe,
   couvre les sommets des montagnes.
³² A pleines mains, il soulève l'éclair
   et lui fixe le but à atteindre.
³³ Son tonnerre en annonce la venue,
   la colère s'approche contre l'iniquité.

---

31. « *il sustente* » yazûn *conj.*; « *il juge* » yadîn *H.*
29. « *Qui... encore* » 'ap mî *Syr* ; « *Encore si* » 'ap 'im *H.* — « *sa (nuée)* » ajouté pour éviter l'amphibologie dans l'hémistiche suivant (« *sa tente* »).
30. « *la nuée* », *litt.* « *sa vapeur* » 'édô *Theod Targ* ; « *sa lumière* » 'ôrô *H.* — « *couvre les sommets des montagnes* » ro'šê harîm *conj.*; « *couvre les racines de la mer* » šor°šê hayyam *H.*
32. « *il soulève* » nissah *conj.*; « *il couvre* » kissah *H.*
33. « *Son tonnerre* » ra'°mô *conj.*; « *Son fracas* » ré'ô *H.* — « *la colère s'approche* » m°qanneh *conj.*; « *le troupeau* » miqneh *H.* — « *contre l'iniquité* » 'al 'awlah *conj.*; « *conter celui qui monte (?)* » 'al 'ôleh *H.*

a) D'après la traduction adoptée Élihu donne une explication du brouillard : gouttes d'eau suspendues dans l'air et que Dieu « retient » pour les empêcher de tomber en pluie.
b) Ces premiers mots indiquent que le v. n'est plus dans son contexte primitif : ils doivent se rapporter aux nuages (28). Cf. Ps **104** 13-15.
c) La formation des nuages d'orage : la nuée, qui se concentre habituellement autour de Yahvé, sa « tente » (cf. Ps **18** 12), se déploie au milieu

37. ¹ Mon cœur lui-même en tremble
　　et bondit hors de sa place.

² Écoutez, écoutez le fracas de sa voix,
　　le grondement qui sort de sa bouche[a] !

³ Son éclair est lâché sous l'étendue des cieux,
　　il atteint les extrémités de la terre.

⁴ Derrière lui mugit une voix,
　　car Dieu tonne de sa voix superbe.

Et il ne retient pas ses foudres
　　tant que sa voix retentit.

⁵ Oui, Dieu nous fait voir des merveilles,
　　il accomplit des œuvres grandioses qui nous
　　　　　　　　　　　　　　　　　　[dépassent[b].

⁶ Quand il dit à la neige[c] : « Tombe sur la terre ! »
　　aux averses : « Pleuvez dru ! »

⁷ alors il suspend l'activité des hommes,
　　pour que chacun reconnaisse là son œuvre.

⁸ Les animaux regagnent leurs repaires
　　et s'abritent dans leurs tanières.

⁹ De la Chambre australe sort l'ouragan
　　et les vents du nord amènent le froid[d].

---

37 3. « *Son éclair* » *tiré de* 3[b] *pour la clarté.*

4. « *ses foudres* » b[e]raqaw *ajouté avec suppression du suffixe verbal ;* « *il ne les retient pas* » H.

5. « *nous fait voir* » yar[e]ᵉnû *conj.* ; « *tonne de sa voix* » yarᵉᵉèm b[e]qôlô H.

6. « *Pleuvez dru* », *litt.* « *Soyez fortes* », *conj.* ; « *sa force* » H.

---

des grondements du tonnerre. Les vv. suivants s'éclairent par Ps **18** 10-15. La nuée s'abaisse, et Dieu lance l'éclair comme une flèche.

a) Le tonnerre, voix de Yahvé (v. 4 ; Ps **18** 14 ; **29**), annonce sa colère, dans les théophanies anciennes ou eschatologiques (Ex **19** 16 ; Ps **77** 18 s ; Is **30** 30).

b) Cf. **5** 9.

c) Les phénomènes atmosphériques de l'hiver : la neige et les pluies (abondantes en Palestine et en cette saison seulement). Elles obligent hommes et bêtes à se mettre à l'abri. Cf. Ps **104** 19-23.

d) « Chambre australe », litt. « chambre » ; « les vents du nord », litt. « les dispersants ». — L'ouragan est un vent du sud, et la « chambre » d'où il

¹⁰ Au souffle de Dieu se forme la glace^a
   et la surface des eaux se prend.
¹¹ Il charge d'humidité^b les nuages
   et les nuées d'orage diffusent son éclair.
¹² Et lui les fait circuler
   et préside à leur alternance.
   Ils exécutent en tout ses ordres,
   sur la face de son monde terrestre.
¹³ Soit pour châtier les peuples de la terre,
   soit pour une œuvre de bonté, il les envoie.
¹⁴ Écoute ceci, Job, sans broncher,
   et réfléchis aux merveilles de Dieu.
¹⁵ Sais-tu comment Dieu leur commande,
   et comment sa nuée fait luire l'éclair ?
¹⁶ Sais-tu comment il suspend les nuées en équilibre^c,
   prodige d'une science consommée ?
¹⁷ Toi, quand tes vêtements sont brûlants
   et que la terre repose immobile sous le vent du
   [sud,

---

12. « *les fait circuler* » méséb 'ôtam *conj.*; « *en cercle* (?) » m^esibbôt *H.* —
« *préside à leur alternance* », *litt.* « *sa direction les fait tournoyer* » *conj.*; « *Et lui*
(*l'éclair*) *tournoyant selon sa direction* » *H.* — *Le dernier mot est rattaché au v.*
suivant. — « (*Ils exécutent*)... *son monde terrestre* » 'arsoh *conj.*; « *la terre* »
'arsah *H.*

13. « *les peuples de la terre* » 'ammé ha'arès *conj.*; « *si c'est pour sa terre* »
'im l^e'arṣô *H.* — « *il les envoie* » yôṣi'éhû *conj.*; « *il lui fait trouver* » yamṣi'éhû *H.*

---

sort (cf. **38** 22; Ps **135** 7) doit s'identifier avec la « Chambre australe »
(cf. **9** 9). Les « dispersants » sont identifiés avec les vents du nord, d'après
un traité du Talmud (et peut-être déjà Théodotion), l'exégète juif Qimchi
et un passage du Coran.

a) Selon la conception ancienne, le « Souffle de Dieu » désigne le vent
(cf. Ps **147** 17-18), ici le vent du nord.

b) Les nuages, porteurs à la fois d'une humidité bienfaisante et de la
foudre qui détruit, transmettent tour à tour les châtiments ou les bénédic-
tions divines.

c) Cf. Pr **8** 28.

¹⁸ peux-tu étendre avec lui la voûte des cieux,
   la durcir comme un miroir de métal fondu[a] ?

¹⁹ Apprends-moi ce qu'il faut lui dire :

   . . . .

²⁰ Mes paroles comptent-elles pour lui,
   est-il informé des ordres d'un homme ?

²¹ Un temps la lumière devient invisible,
   lorsque les nuages l'obscurcissent ;

   Puis le vent passe et les balaie,
   ²² et du nord arrive la clarté.

   Dieu s'entoure d'une splendeur redoutable[b] ;
   ²³ lui, Shaddaï, nous ne pouvons l'atteindre.

   Suprême par la force et l'équité,
   maître en justice sans opprimer,

²⁴ il s'impose à la crainte des hommes ;
   à lui la vénération de tous les esprits sensés[c] !

---

19. *Le second hémistiche, dont le sens est obscur dans ce contexte, porte :* « *nous ne discuterons pas à cause de l'obscurité* ».

22. « clarté » zôhar (*cf. Ez* **8** 2 ; *Dn* **12** 3) *conj.*; « *l'or* » zahab *H*.

24. « *à lui la vénération* » lô yireʿat *d'après G Syr ;* « *il ne voit pas (tous les esprits sensés)* » loʾ yireʿeh *H*.

---

a) Élihu semble parler du firmament (cf. Gn **1** 6 : même racine verbale), du ciel d'airain de l'été. En traduisant autrement (« peux-tu étendre avec lui une voûte de nuages fins ? »), on pourrait songer aux nuages fins qui couvrent le ciel et interceptent les rayons du soleil. Néanmoins, à cause du v. 21, la première interprétation nous semble préférable.

b) Le rayonnement de la majesté divine, sa « gloire », cf. Ex **24** 16, que la nuée rend concrète et symbolise.

c) Cette doxologie rejoint **36** 22. Elle résume bien les discours d'Élihu. Il a défendu la justice de Dieu en la montrant pénétrée par une force suprême, inspirée par une impartialité indiscutable, tempérée de bonté.

IV

LES DISCOURS DE YAHVÉ[a]

Premier Discours

La Sagesse créatrice confond Job.

38. ¹ Yahvé répondit à Job du sein de la tempête[b] et dit :

² Quel est celui-là qui brouille mes conseils[c]
  par des propos dénués de sens ?

³ Ceins tes reins comme un brave[d] :
  je vais t'interroger et tu m'instruiras.

⁴ Où étais-tu quand je fondai la terre[e] ?
  Parle, si ton savoir est éclairé.

⁵ Qui en fixa les mesures, le saurais-tu,
  ou qui tendit sur elle le cordeau ?

⁶ Sur quel appui s'enfoncent ses socles ?
  Qui posa sa pierre angulaire,

---

38 3. « *comme un brave* » kᵉgibbôr *un ms hébr. Syr Targ ;* « *comme un homme* » kᵉgébèr *H.* — *De même en* **40** 7.

a) Sur l'authenticité de ces discours voir l'Introduction, p. 13.

b) Il n'y a aucune raison d'éliminer cette formule, en y voyant une addition de scribe. Ce mode ancien des théophanies de Yahvé, qui signifiait sa toute-puissance redoutable (cf. Ps **18** 8-16; **50** 3; Na **1** 3; Ez **1** 4; Ex **13** 22; **19** 16) est ici un motif très expressif. Yahvé ne répondra pas à Job sur le même plan, mais en Dieu.

c) Les conseils de la Providence. Job en parle sans les comprendre.

d) Les rôles sont renversés : Yahvé attaque et invite Job à la lutte.

e) La création de la terre est comparée à la construction d'un édifice. On délimite l'emplacement au cordeau (cf. Za **1** 16), on enfonce les socles qui doivent supporter les piliers (cf. **9** 6 et note sur **26** 7) et l'œuvre est couronnée par la pose de la pierre d'angle (cf. Ps **118** 22; Jr **51** 26).

⁷ parmi le concert joyeux des étoiles du matin
   et les acclamations unanimes des Fils de Dieu*ᵃ* ?

⁸ Qui enferma la mer à deux battants,
   quand elle sortit, bondissante, du sein maternel ;

⁹ quand je mis sur elle une nuée pour vêtement
   et fis des nuages sombres ses langes ;

¹⁰ quand je découpai pour elle sa limite
   et plaçai portes et verrou ?

¹¹ « Tu n'iras pas plus loin, lui dis-je,
   ici se brisera l'orgueil de tes flots*ᵇ* ! »

¹² As-tu, une fois dans ta vie, commandé au matin,
   assigné l'aurore à son poste,

¹³ pour qu'elle saisisse la terre par les bords
   et en secoue les méchants ?

¹⁴ Alors elle la change en argile de sceau*ᶜ*
   et la teint comme un vêtement ;

¹⁵ elle ôte aux méchants leur lumière*ᵈ*,
   brise le bras qui se levait.

---

8. « *Qui enferma* » : on lit l'interrogatif avec *Vulg* ; « *et a enfermé* » H.

11. « *se brisera* » yiŝtabbér *d'après G Vulg* ; « *il mettra (à l'orgueil de tes flots) (?)* » yaŝit bi H.

14. « *la teint* », *litt.* « *est teinte* » tiṣṣaba', *conj.*; « *ils se tiennent debout* » yityaṣṣᵉbû H.

a) La pose de la pierre d'angle devait être saluée par des acclamations joyeuses. Cf., pour la pierre frontale, Za **4** 7, et, pour les fondations, Esd **3** 10. Le poète anime (cf. Ba **3** 34) les « étoiles du matin », les plus joyeuses parce qu'elles annoncent le jour, et les met en parallèle avec les anges. Peut-être l'imagination populaire leur prêtait-elle des attributs semblables à ceux de « Fils de Dieu » (même association dans Ps **148** 2-3).

b) La mer agitée s'arrête toujours aux mêmes rivages. Les Hébreux pensaient qu'un ordre de Yahvé l'empêchait de couvrir de nouveau la terre (cf. Ps **104** 6-9; Pr **8** 29); voir la note sur Jb **7** 12.

c) L'argile de sceau, d'après certains témoignages des Anciens, désignait une couleur rouge semblable au minium. Selon certains exégètes, il s'agit ici du relief sombre et des couleurs estompées que prend la terre aux premières lueurs du jour.

d) Qui n'est pas la lumière du jour (cf. **24** 13-17).

16 As-tu pénétré jusqu'aux sources marines[a],
   circulé au fond de l'Abîme ?
17 Les portes de la Mort te furent-elles montrées,
   as-tu vu les portiers du pays de l'Ombre[b] ?
18 As-tu quelque idée des étendues terrestres ?
   Parle, si tu sais tout cela.
19 De quel côté habite la lumière[c],
   et les ténèbres, où résident-elles,
20 pour que tu puisses les conduire dans leur domaine,
   les acheminer vers leur demeure ?
21 Si tu le sais, c'est qu'alors tu étais né,
   et tu comptes des jours bien nombreux !

22 Es-tu parvenu jusqu'aux dépôts de neige ?
   As-tu vu les réserves de grêle[d],
23 que je ménage pour les temps de détresse,
   pour les jours de bataille et de guerre ?

---

17. « *les portiers* » *G* ; « *les portes* » *H*.
20. « *les acheminer* », litt. « *les reconduire* (*par les sentiers*) » t[e]bi'ènnû, *conj.*;
« *pour que tu comprennes* » tabîn *H*.

---

a) Celles qui étaient censées alimenter la mer. Elles se trouvaient dans l'Abîme lui-même ou au plus profond de celui-ci si la mer est identifiée avec l'Abîme (cf. v. 30 et **28** 14).

b) Le shéol (cf. **10** 21-22). L'expression : « les portes de la Mort » est courante dans la Bible (cf. Is **38** 10; Ps **9** 14; **107** 18; Sg **16** 13) et les Babyloniens comme les Égyptiens parlaient aussi des portes des Enfers. Il est inutile de chercher à identifier les portiers, introduits (si la correction du texte est admise, cf. note critique) pour varier le parallélisme.

c) La lumière est personnifiée comme une entité distincte du soleil et de la lune. Une telle distinction réelle n'était pas inconcevable aux yeux des Anciens et ce texte est communément allégué pour éclairer Gn **1** 3 (cf. aussi Qo **12** 2). Elle regagne chaque soir son domicile (cf. Ba **3** 33) tandis que sortent les ténèbres.

d) Cette arme divine, mentionnée Ex **9** 18-26; Jos **10** 11, figure aussi au Jour du jugement (cf. Is **28** 17; **30** 30).

²⁴ De quel côté se divise l'éclair,
   lorsqu'il répand sur terre des étincelles^a ?
²⁵ Qui perce un canal pour l'averse,
   fraie la route aux roulements du tonnerre,
²⁶ pour faire pleuvoir sur une terre sans hommes,
   sur le désert que nul n'habite,
²⁷ pour abreuver les solitudes désolées,
   faire germer l'herbe sur la steppe^b ?
²⁸ La pluie a-t-elle un père,
   ou qui engendre les gouttes de rosée ?
²⁹ De quel sein sort la glace,
   et le givre des cieux, qui l'enfante,
³⁰ quand les eaux se durcissent comme pierre
   et la surface de l'abîme se prend ?

³¹ Peux-tu nouer les liens des Pléiades,
   desserrer les cordes d'Orion,
³² amener l'Étoile du matin en sa saison,
   conduire l'Ourse avec ses petits^c ?

---

24. « *étincelles* » yᵉqodîm *conj.*; « *vent d'est* » qadîm *H.*
27. « *sur la steppe* » miṣṣiyyah *conj.*; « *lieu d'origine* » moṣa' *H.*
30. « *se durcissent* » yitᵉḥamma'û *conj.*; « *se cachent* » yitᵉḥabba'û *H.*

---

a) Si la traduction est exacte (cf. note critique) il s'agirait de la foudre. L'explication diffère de celle fournie par Élihu.

b) Ces précisions soulignent la gratuité des œuvres divines, ou bien la sollicitude de Dieu pour d'autres êtres que l'homme.

c) Cf. la note sur **9** 9. « L'Étoile du matin », traduction conjecturale, d'après Vulg (« Lucifer ») et la présence du même mot, semble-t-il, dans 2 R **23** 5, en compagnie du soleil, de la lune et de toute l'armée des cieux. D'autres traduisent « la Couronne », c'est-à-dire la Couronne boréale, d'après l'une des étymologies possibles du mot, ou « les Hyades », parce que Aldébaran marquait le temps de la pluie et des labours. — « L'Ourse ». Ses « petits » seraient la petite Ourse. Certains exégètes entendent « la Lionne avec les petites étoiles de la Vierge ». De toutes façons, le poète nomme les constellations censées agir sur les saisons (v. 33) et amener les pluies d'orage (vv. 34-35).

³³ Connais-tu les lois des Cieux,
       appliques-tu leur charte sur terre ?
³⁴ Ta voix s'élève-t-elle jusqu'aux nuées
       et la masse des eaux t'obéit-elle ?
³⁵ Sur ton ordre, les éclairs partent-ils,
       en te disant : « Nous voici »[a] ?
³⁶ Qui a mis dans l'ibis[b] la sagesse,
       donné au coq l'intelligence ?
³⁷ Qui dénombre les nuages avec compétence
       et incline les outres des cieux,
³⁸ tandis que la terre se coule en une masse
       et que collent ensemble les glèbes ?

³⁹ Chasses-tu pour la lionne[c] une proie,
       apaises-tu l'appétit des lionceaux,
⁴⁰ quand ils sont tapis dans leurs tanières,
       aux aguets dans le fourré ?
⁴¹ Qui prépare au corbeau sa provende,
       lorsque ses petits crient vers Dieu
       et qu'ils se dressent sans nourriture ?
39. ¹ Sais-tu comment les bouquetins[d] font leurs petits ?
       As-tu observé des biches en travail ?

---

34. « *t'obéit-elle* » taʿănèka *G* ; « *te couvre-t-elle* » tᵉkassèka *H*.
41. « *ils se dressent* » yiteʾălû *conj.*; « *ils errent* » yiteʿû *H*.
39 1. « *Sais-tu... leurs petits* » : *on supprime* ʿét, *résultant probablement d'une dittographie.*

---

a) Cf. Ba **3** 35.
b) La mention ici de l'ibis et du coq s'explique par la faculté de prévision qui leur était attribuée. L'ibis annonçait les crues du Nil. Le coq annonce le jour.
c) Passant de la nature inanimée au règne animal, Yahvé choisit les types les plus farouches et indépendants. Lion et corbeau sont carnassiers, chacun à sa façon; et Dieu veille à leur subsistance ! Cf., pour les petits de la lionne, Ps **104** 20-22 ; pour ceux du corbeau, Ps **147** 9.
d) Les bouquetins et les biches sont choisis parce que leur reproduction échappe à toute observation, de même que celle des autruches ne respecte

² Combien de mois dure leur gestation,
   quelle est l'époque de leur délivrance ?
³ Alors elles s'accroupissent pour mettre bas,
   elles déposent leurs portées en plein désert.
⁴ Et quand leurs petits ont pris des forces et grandi,
   ils les quittent et ne reviennent plus.

⁵ Qui a lâché l'onagre en liberté,
   délié la corde de l'âne sauvage ?
⁶ A lui, j'ai donné le désert pour demeure,
   la plaine salée pour habitat.
⁷ Il se rit du tumulte des villes
   et n'entend pas l'ânier vociférer.
⁸ Il explore les montagnes, son pâturage,
   à la recherche de toute verdure

⁹ Le bœuf sauvage[a] voudra-t-il te servir,
   passer la nuit chez toi devant la crèche ?
¹⁰ Attacheras-tu une corde à son cou,
   hersera-t-il les sillons derrière toi ?
¹¹ Peux-tu compter sur sa force très grande
   et lui laisser la peine de tes travaux ?

---

3. « *mettre bas* », *litt.* « *se délivrer (de leurs petits)* » tᵉpallétnah, *conj.*; « *pour fendre* (?) » tᵉpallaḥᵉnah *H*. — « *en plein désert* » : *traduction de* babbar *tiré de* 4ᵃ.

10. « *une corde à son cou* » bᵉ'anqô 'abot *conj.*; *H corrompu.* — « *les sillons* » tᵉlamîm *G* ; « *les vallées* » tèlèm *H déplacé.*

---

aucune prudence (v. 14), et cependant Dieu veille à la conservation de l'espèce. L'onagre l'est pour son indépendance proverbiale (cf. **11** 12); le bœuf sauvage pour sa résistance à toute domestication. Ils vivent tous dans des lieux escarpés ou déserts.

a) Non le buffle ordinaire, mais le « rêmu » akkadien, un bœuf sauvage féroce, aux cornes recourbées, habitant des forêts et des montagnes. Il est opposé au bœuf domestiqué, auxiliaire de l'homme.

¹² Seras-tu assuré de son retour,
    pour rentrer ton grain sur ton aire ?

¹³ L'aile de l'autruche*a* peut-elle se comparer
    au pennage de la cigogne et du faucon ?
¹⁴ Elle abandonne à terre ses œufs,
    les confie à la chaleur du sol.
¹⁵ Elle oublie qu'un pied peut les fouler,
    une bête sauvage les écraser.
¹⁶ Dure pour ses petits comme pour des étrangers,
    d'une peine inutile elle ne s'inquiète pas.
¹⁷ C'est que Dieu l'a privée de sagesse,
    ne lui a point départi l'intelligence.
¹⁸ Mais sitôt qu'elle se dresse et se soulève,
    elle défie le cheval et son cavalier.

¹⁹ Donnes-tu au cheval*b* la bravoure,
    revêts-tu son cou d'une crinière ?
²⁰ Le fais-tu bondir comme la sauterelle ?
    Son hennissement altier répand la terreur.

---

12. « *sur ton aire* » *conj.*; « *(et qu'il amasse) ton aire* » *H.*
13. « *L'aile...* » : *on lit l'interrogatif.* — « *peut-elle se comparer* » *néčrkah
d'après Vulg ;* « *(l'aile des autruches) est allègre* » *nè°ĕlasah H.* — « *au pennage...
faucon* » *'îm 'ĕb°rat hăsidah w°nès Vulg et d'après Targ ; H corrompu.*
16. « *Dure* » *deux mss hébr.; forme masculine H.* — « *comme* » *conj.*

---

a) Cette description de l'autruche (considérée par beaucoup comme
une addition au poème primitif, cf. Introduction, p. 13; toute la section
13-18 manque dans G), insiste sur sa stupidité, qui rend plus éclatante la
Sagesse du Créateur. Elle est aussi une bête mystérieuse, avec ses moignons
d'ailes et la rapidité proverbiale de sa course. Parlant de sa dureté pour ses
petits (cf. Lm 4 3) le poète suit l'opinion des anciens : comme l'autruche
dépose ses œufs dans le sable, on imaginait qu'elle les abandonnait.
b) Le cheval est ici la monture du guerrier. Dans l'ancien Orient, ce
fut longtemps son unique emploi. L'homme ne peut s'expliquer son intré-
pidité instinctive.

²¹ Il piaffe de joie dans le vallon,
   avec vigueur il s'élance au devant des armes.
²² Il se moque de la peur et ne craint rien,
   il ne recule pas devant l'épée.
²³ Sur lui résonnent le carquois,
   la lance étincelante et le javelot.
²⁴ Frémissant d'impatience, il dévore l'espace;
   il ne se tient plus quand sonne la trompette :
²⁵ à chaque coup de trompette, il dit : Ha[a] !
   Il flaire de loin la bataille,
   la voix tonnante des chefs et les cris.

²⁶ Est-ce sur ton conseil que le faucon[b] prend son vol,
   qu'il déploie ses ailes vers le sud ?
²⁷ Sur ton ordre que l'aigle s'élève
   et place son nid dans les hauteurs ?
²⁸ Il fait du rocher son habitat nocturne,
   d'un pic son repaire inexpugnable.
²⁹ Il guette de là sa proie
   et ses yeux de loin l'aperçoivent.
³⁰ Il nourrit de sang ses petits :
   où il y a des tués, il est là[c].

---

24. « *quand sonne* » : *on lit* bᵉqôl (*H* kîqôl).
30. « *Il nourrit* » *conj.*; *H a une forme inconnue.*

---

a) Litt. *hè'ah,* un cri de joie (Is **44** 16; Ez **25** 3).
b) A propos du faucon (d'autres, à la suite de Vulg, traduisent par épervier), le poète évoque les migrations saisonnières des oiseaux. Jr **8** 7 prend d'autres exemples : la cigogne, la tourterelle, l'hirondelle. Ici, le choix d'un oiseau de proie, préparant la mention de l'aigle, est voulu. Car il souligne le paradoxe de la sagesse instinctive qui leur est communiquée.
c) Sans doute locution proverbiale. Cf. Mt **24** 28; Lc **17** 37.

31 **40.** ¹ Et Yahvé apostropha Job et lui dit[a] :

32   ² L'adversaire de Shaddaï cédera-t-il ?
       le censeur de Dieu va-t-il répliquer ?

33   ³ Et Job répondit à Yahvé :

34   ⁴ J'ai parlé à la légère : que te répondrai-je ?
       Je mettrai plutôt ma main sur ma bouche.

35   ⁵ J'ai parlé une fois... je ne répéterai pas;
       deux fois... je n'ajouterai rien[b].

SECOND DISCOURS

Maîtrise de Dieu sur les forces du mal.

40. 1   ⁶ Yahvé répondit à Job du sein de la tempête et dit :

2   ⁷ Ceins tes reins comme un brave :
       je vais t'interroger et tu m'instruiras.

3   ⁸ Veux-tu vraiment casser mon jugement,
       me condamner pour assurer ton droit ?

4   ⁹ Ton bras a-t-il une vigueur divine,
       ta voix peut-elle tonner pareillement ?

---

40 2. « *L'adversaire* », *litt.* « *celui qui dispute* » harab *conj.*; « *la multitude* » hărob *H*. — « *cédera-t-il* » yasûr *Vulg*; « *le critique* (?) » yissor *H*.
    5. « *répéterai* » 'èšnėh *conj.*; « *répondrai* » 'è'ènèh *H*.
    7. « *comme un brave* » : *cf.* **38** 3.

---

a) Cette phrase d'introduction manque dans G. — La numérotation de la Vulg, indiquée en marge, est différente jusqu'au ch. **42**.
    b) Job a voulu disputer avec Dieu. Qu'il apprenne que son intelligence n'est pas à la mesure des œuvres de la sagesse divine, qui échappent au contrôle de l'homme. Et Job comprend la leçon.

5   **10** Allons, pare-toi de majesté et de grandeur,
          revêts-toi de splendeur et de gloire.

6   **11** Fais éclater les fureurs de ta colère,
          d'un regard, courbe l'arrogant.

7   **12** D'un regard, ravale l'homme superbe,
          écrase sur place les méchants.

8   **13** Enfouis-les ensemble dans le sol[a],
          rends muets leurs visages dans le cachot.

9   **14** Et moi-même je te rendrai hommage,
          de pouvoir triompher par ta dextre.

Béhémoth.

10   **15** Représente-toi Béhémoth[b] !
          Il se nourrit d'herbe, comme le bœuf.

11   **16** Vois, sa force réside dans ses reins,
          sa vigueur dans les muscles de son ventre.

12   **17** Il raidit sa queue comme un cèdre,
          les nerfs de ses cuisses s'entrelacent.

13   **18** Ses vertèbres sont des tubes d'airain,
          ses os sont durs comme du fer forgé.

---

12. « *l'homme superbe* » gaboah *d'après* G ; « *l'arrogant* » gé'eh H.
13. « *rends muets* » hèhĕséh *conj.*; « *emprisonne* » hăboš H.
15. *Après* « *Béhémoth* » H *ajoute* (*en surcharge rythmique*) « *que j'ai fait* »;
omis par G.

---

a) Cf. Nb **16** 31-34. Le cachot (litt. « le (lieu) caché ») doit s'entendre
de la prison souterraine, le shéol. Le visage des Ombres reste muet.
b) C'est la forme plurielle d'un mot hébreu qui signifie : bête, bétail.
Cette forme peut avoir un sens intensif et désigner la « bête » ou la
« brute » par excellence. Mais c'est peut-être un mot égyptien hébraïsé
(« pehemou », le bœuf des eaux). En tout cas la description s'applique
nettement à l'hippopotame. D'après des bas-reliefs égyptiens cet animal
s'avançait anciennement jusqu'en Basse-Égypte. Il représente ici la force
brutale que Dieu son Créateur maîtrise mais que l'homme ne peut
domestiquer.

¹⁴   ¹⁹ C'est lui la fleur^a des œuvres de Dieu.

        Mais son Auteur le menaça de l'épée^b,

¹⁵   ²⁰ lui interdit la région des montagnes

        et toutes les bêtes sauvages qui s'y ébattent.

¹⁶   ²¹ Sous les lotus, il est couché,

        il se cache dans les roseaux des marécages.

¹⁷   ²² Le couvert des lotus lui sert d'ombrage

        et les saules du torrent le protègent.

¹⁸   ²³ Si le fleuve l'envahit, il ne s'émeut pas;

        un Jourdain^c lui jaillirait jusqu'à la gueule sans

¹⁹   ²⁴ Qui donc le saisira par les yeux,   [qu'il bronche.

        lui percera le nez avec un piquet^d ?

Léviathan.

²⁰   ²⁵ Et Léviathan^e, le pêches-tu à l'hameçon,

        avec une corde comprimes-tu sa langue ?

---

19. « *son Auteur* » ha‘ôséhu *conj.*; H *forme anormale.* — « *le menaça de l'épée* », *litt.* « *approcha son épée* » (*verbe* nagaš) *ou* « (*lui*) *imposa son épée* » (*verbe* nagaś). *Traduction conjecturale d'un texte très obscur.*

20. « *la région* » gᵉbûl *conj.*; H kî bûl *obscur.*

24. « *Qui donc* » : *on ajoute* mî hu' *tombé par haplographie.*

---

a) Litt. « les prémices », au sens de priorité d'excellence et non sans une certaine ironie. D'autres pensent à une priorité temporelle, comme dans Pr **8** 22; selon Gn **1** 21, les grands monstres aquatiques furent créés les premiers.

b) Image d'une interdiction menaçante (cf. Gn **3** 24).

c) Si la lecture du texte est exacte, le Jourdain devient ici un terme générique, désignant toute rivière au cours impétueux (cf. Si **24** 24).

d) « Avec un piquet » : traduction conjecturale. Il doit s'agir d'un instrument de bois, crochu et pointu.

e) Ce terme désigne proprement un monstre chaotique (cf. note sur **3** 8), qui vivait encore dans la mer (Is **27** 1; Am **9** 3; Ps **74** 13-14; **104** 26). Il est appliqué ici au crocodile, l'hébreu n'ayant pas de terme propre pour désigner cet animal, qu'Ézéchiel appelle « tannîm », le monstre marin (Ez **29** 3; **32** 2). Mais au-delà de l'animal visible cette description du crocodile continue à évoquer le souvenir du monstre vaincu par Yahvé aux origines (cf. **7** 12 et la note), lui-même type des puissances hostiles à Dieu. Comme l'hippopotame, le crocodile était aussi un animal caractéristique

21   26 Fais-tu passer un jonc dans ses naseaux,
       avec un croc perces-tu sa mâchoire[a] ?

22   27 Est-ce lui qui te suppliera longuement,
       te parlera d'un ton timide ?

23   28 S'engagera-t-il par contrat envers toi,
       pour devenir ton serviteur à vie[b] ?

24   29 T'amusera-t-il comme un passereau,
       l'attacheras-tu pour la joie de tes filles ?

25   30 Sera-t-il mis en vente par des associés[c],
       puis débité entre marchands[d] ?

26   31 Cribleras-tu sa peau de dards,
       piqueras-tu sa tête avec le harpon ?

27   32 Pose seulement la main sur lui :
       au souvenir de la lutte, tu ne recommenceras plus !

28 **41.**   1 Ton assurance serait illusoire,
       car sa vue seule suffit à terrasser.

1   2 Il devient féroce quand on l'éveille,
       nul ne peut lui résister en face.

---

41 1. *« Ton assurance »* un ms hébr. Syr ; *« Mon assurance »* H. — *« car sa vue...*
terrasser » : on supprime le pronom interrogatif (*dittographie*) et on garde la forme
verbale ou on lit yuṭālū.

   2. *« Il devient »*, litt. *« N'est-il pas »*, conj.; *« Il n'est pas »* H. — *« l'éveille »* :
on lit yeˁîrènnu; H forme anormale. — *« en face »* : on ajoute le suffixe de la
3e pers.

---

de l'Égypte ancienne. Il n'était pas inconnu, jusqu'à l'époque moderne,
dans les rivières côtières de Palestine (cf. la ville ancienne de Crocodilo-
polis au nord de Césarée).

   a) Pour le tenir en laisse après capture (cf. Ez **29** 4; **19** 4, 9), avec un
jonc passé dans les naseaux. On passait aussi un jonc dans les ouïes des
petits poissons pour les transporter.

   b) Dt **15** 17; 1 S **27** 12. Léviathan ne peut être domestiqué ni (29) gardé
en cage pour amuser les enfants.

   c) Associés pour la pêche en commun (cf. Lc **5** 10). Ils « vendraient la
peau de l'ours ».

   d) Litt. « Cananéens » : les commerçants par excellence dans la Palestine
ancienne, au point que le nom passa à la profession (cf. Pr **31** 24).

2 ³ Qui donc l'a affronté sans en pâtir ?
     Personne sous tous les cieux !

3 ⁴ Je parlerai aussi de ses membres[a],
     je dirai sa force incomparable.

4 ⁵ Qui a ouvert par devant sa tunique,
     pénétré dans sa double cuirasse ?

5 ⁶ Qui a ouvert les battants de sa gueule ?
     La terreur règne entre ses râteliers !

6 ⁷ Son dos, ce sont des rangées de boucliers,
     que ferme un sceau de pierre[b].

7 ⁸ Ils se touchent de si près
     qu'un souffle ne peut s'y infiltrer.

8 ⁹ Ils adhèrent l'un à l'autre
     et font un bloc sans fissure.

9 ¹⁰ Son éternuement jette de la lumière[c],
      ses yeux ressemblent aux paupières de l'aurore.

10 ¹¹ De sa gueule jaillissent des torches[d],
      il s'en échappe des étincelles de feu.

---

3. « *l'a affronté sans en pâtir* » conj.; « *qui m'a affronté* (?) *et je rendrai* » H. — « *Personne* » lo' *hû'* conj.; « *à moi, lui* » lî hû' H.

4. « *je dirai... incomparable* » wa'ădabber gᵉbûratô 'ên 'érèk conj.; H obscur.

5. « *cuirasse* » siryônô G ; « *frein* » résnô H.

6. « *de sa gueule* » pîw Syr ; « *de sa face* » panayw H.

7. « *Son dos* » géwoh G Vulg ; « *fierté* » ga'ăwah H. — « *que ferme un sceau de pierre* » sagar 'otam ṣor *d'après* G ; « *ferme... un sceau étroit* » sagûr ḥotam ṣar H.

10. « *Son éternuement* » G Vulg ; H a le pluriel.

a) Annonce d'une description de la bête. Les « membres » sont les différentes parties du corps.

b) Un sceau hermétique, immuable comme la pierre. Le texte est peut-être corrompu.

c) Il fait jaillir des gouttelettes d'eau qui étincellent dans la lumière. Les écrivains grecs ont noté aussi les éternuements du crocodile lorsqu'il est étendu au soleil. Ses yeux rougeâtres font penser à l'aurore (cf. **3** 9). L'hiéroglyphe égyptien pour l'aurore représentait des yeux de crocodile.

d) Ce souffle enflammé rappelle les dragons légendaires ou les êtres démoniaques (cf. Ap **9** 17).

11   ¹² Ses naseaux crachent de la fumée,
            comme un chaudron qui bout sur le feu.

12   ¹³ Son souffle allumerait des charbons,
            c'est une flamme qui sort de sa gueule.

13   ¹⁴ Sur son cou est campée la force
            et devant lui bondit l'effroi.

16   ^{17a} Quand il se dresse, les flots prennent peur
            et les vagues de la mer se retirent.

14   ¹⁵ Les fanons de sa chair sont collés ensemble :
            ils adhèrent à elle, inébranlables.

15   ¹⁶ Son cœur est dur comme le roc.
            résistant comme une pierre de meule.

17   ¹⁸ L'épée l'atteint sans se fixer,
            de même lance, javeline ou dard.

18   ¹⁹ Pour lui, le fer n'est que paille,
            et l'airain, du bois pourri.

19   ²⁰ Les traits de l'arc ne le font pas fuir :
            il reçoit comme un fétu les pierres de fronde.

20   ²¹ La massue lui semble un roseau,
            il se rit du javelot qui vibre.

21   ²² Il a sous lui des tessons aigus^b,
            comme une herse il passe sur la vase.

---

12. « *comme... feu* », litt. « *comme un chaudron chauffé et bouillant* », *le dernier mot* 'ogém *avec Vulg Syr* ; « *et un roseau* (?) » 'agmon *H.*

17. « *les flots* » gallîm *conj.*; « *les dieux* » 'élîm *H.* — « *les vagues de la mer* » mišbᵉrê yam *conj.*; « *à cause des ruptures* » miššbarîm *H.*

15. « *ils adhèrent à elle* », *litt.* « *sont pressés sur elle* »; *H singulier.*

21. « *lui semble un roseau* » nèḥᵉšab lô *conj.*; « *ils semblent un fétu* » nèḥᵉšbû *H.*

---

a) Ce v. semble déplacé dans un contexte qui décrit la dureté de la chair du crocodile et qui témoigne d'un certain désordre. Le trouble a pu être causé par la répétition du mot *yaṣuq*. Grec omet 15^b.

b) Son ventre laisse dans la vase ou sur le sable un sillage analogue à celui de ces traîneaux, garnis de pointes de silex ou de basalte, qui, en Palestine, servaient à dépiquer le blé sur l'aire.

22   ²³ Il fait du gouffre une chaudière bouillonnante^{*a*},
       change la mer en brûle-parfums.

23   ²⁴ Il laisse derrière lui un sillage lumineux,
       l'abîme semble couvert d'une toison blanche.

24   ²⁵ Sur terre, il n'a point son pareil,
       il a été fait intrépide.

25   ²⁶ Il regarde en face les plus hautains,
       il est roi^{*b*} sur tous les fils de l'orgueil

Dernière réponse de Job.

42.   ¹ Et Job fit cette réponse à Yahvé :

     ² Je sais que tu es tout-puissant^{*c*} :
       ce que tu conçois, tu peux le réaliser.
     ³ J'étais celui qui brouille tes conseils,
       par des propos dénués de sens^{*d*}.
     Aussi ai-je parlé sans intelligence,
       de merveilles qui me dépassent et que j'ignore.

---

42 3. « *J'étais celui* ». *litt.* « *Qui est celui-là* », *comme dans* **38** 2, *interprété dans ce nouveau contexte. On peut aussi supposer* 'ănî « *moi* » *au lieu de* mî « *qui* ». — « *tes conseils* », *litt.* « *le conseil* ». — « *par des propos* » *G Syr et cf.* **38** 2; *omis par H.*

---

a) Lorsqu'il plonge, les bulles d'eau jaillissent; lorsqu'il nage (v. 24), il laisse un sillage blanc qui étincelle au soleil. La seconde image du v. 24 se retrouve chez des poètes grecs et latins.

b) Ailleurs (Pr **30** 30) le même éloge est décerné au lion. Ici, Léviathan est l'emblème de la dureté intrépide et de la cruauté féroce, comme Béhémoth celui de l'insensibilité bestiale et massive. Or Dieu le tient en son pouvoir et par lui tous « les fils de l'orgueil » (cf. **28** 8 et note). L'idée sousjacente (cf. **40** 7-14) est ainsi rappelée.

c) Job s'incline devant la Toute-Puissance aux desseins mystérieux. Ses questions sur la justice restent sans réponse. Mais il a compris que Dieu n'a pas de comptes à rendre, et peut donner un sens insoupçonné à des réalités comme la souffrance et la mort. S'il ne châtie pas le mal ici-bas, ce n'est pas par impuissance, mais pour des raisons que l'homme ignore.

d) Cf. **38** 2.

⁴ (Écoute, laisse-moi parler :
     je vais t'interroger et tu m'instruiras[a].)
⁵ Je ne te connaissais que par ouï-dire,
     mais maintenant mes yeux t'ont vu[b].
⁶ Aussi je retire mes paroles,
     je me repens sur la poussière et sur la cendre[c].

V

ÉPILOGUE

Yahvé blâme les trois Sages.

⁷ Après qu'il eut ainsi parlé à Job[d], Yahvé s'adressa à Éliphaz de Témân : « Ma colère s'est enflammée contre toi et tes deux amis, car vous n'avez pas bien parlé

---

6. « *mes paroles* » : *complément ajouté, car le verbe « rejeter, refuser » en réclame un. Le mètre suppose aussi qu'un mot est tombé.*

---

a) Ce v., dont la seconde partie reproduit textuellement **38** 3[b], semble être une glose ou une réminiscence mécanique de ce texte ainsi que de **33** 31. Il est moins probable qu'il y ait ici une allusion aux propres paroles de Job, v.g. **13** 22.

b) D'après la mise en scène des discours de Dieu (**38** 1 ; **40** 6) et d'après le caractère de la leçon tirée par Job, il ne s'agit pas d'une vision proprement dite, mais d'une perception nouvelle de la réalité de Dieu, à travers les réalités sensibles qui parlent de lui différemment. Job a été éclairé par une autre lumière. Jusque-là il se laissait guider par des vues trop humaines, il comptait sur les ressources d'une raison trop exigeante; il ne possédait sur Dieu que les notions reçues. Et il a vu cela craquer, se perdre dans des perspectives insoupçonnées.

c) Le geste classique de la douleur et de la pénitence (cf. **2** 8 et Mi **1** 10; Jr **6** 26, etc.).

d) Le récit en prose ne semble pas faire état de la dernière réponse de Job : mais l'auteur veut indiquer que Yahvé change d'interlocuteur, s'adressant maintenant à Éliphaz.

de moi*a* comme l'a fait mon serviteur Job. [8] Et maintenant,
procurez-vous sept taureaux et sept béliers, puis allez
vers mon serviteur Job. Vous offrirez pour vous un holocauste, tandis que mon serviteur Job priera pour vous.
J'aurai égard à lui*b* et ne vous infligerai pas ma disgrâce
pour n'avoir pas, comme mon serviteur Job, bien parlé
de moi. » [9] Éliphaz de Témân, Bildad de Shuah, Çophar
de Naamat s'en fûrent exécuter l'ordre de Yahvé. Et
Yahvé eut égard à Job.

**Yahvé restaure
la fortune de Job.**

[10] Et Yahvé restaura la
situation de Job, parce qu'il
avait intercédé pour ses amis;
et même Yahvé accrut au
double tous les biens de Job. [11] Celui-ci vit venir vers lui
tous ses frères et toutes ses sœurs ainsi que tous ceux qui
le connaissaient autrefois. Avec lui, ils prenaient un repas
dans sa maison. Et ils s'apitoyaient sur lui, le consolaient*c*
de tous les maux que Yahvé lui avait infligés. Chacun lui
fit cadeau d'une pièce d'argent*d*, chacun lui laissa un

---

8. « *J'aurai égard à lui* » : *on lit au début* kî' èt *au lieu de H* ki 'im « *sauf que* ».

---

a) Le blâme de Yahvé correspond à la pensée de l'auteur. Il doit porter
sur les vues trop courtes et trop rigides des trois amis. Job, au contraire,
en se maintenant douloureusement dans la vérité, est parvenu à une perception plus vraie du Dieu mystérieux. Au-delà des crises du Dialogue,
il revient affermi à son attitude initiale de soumission (**1** 21; **2** 10).
b) Job fait figure d'intercesseur comme Abraham (Gn **18** 22-32; **20** 7),
Moïse (Ex **32** 11; Nb **21** 7), Samuel (1 S **7** 5; **12** 19), Amos (Am **7** 2-6),
Jérémie (Jr **11** 14; **37** 3; 2 M **15** 14). Cf. Ez **14** 14, 20. Son épreuve semble
être l'une des raisons de l'efficacité de sa prière. A l'arrière-plan se profile
la figure du Serviteur souffrant (cf. Is **53** 12), dont la souffrance, cette fois,
est expressément une expiation pour autrui.
c) Condoléances et consolations rétrospectives de la part de ceux qui
s'étaient éloignés de lui dans son malheur. Job, libéral, tenait table ouverte.
d) Hébreu : q*e*ši*ṭ*ah. C'est une monnaie ancienne (cf. Gn **33** 19; Jos **24** 32)
de valeur inconnue, peut-être une monnaie d'argent. Les versions traduisent « brebis », sens du mot dans l'hébreu récent.

anneau d'or. [12] Yahvé bénit la condition nouvelle de Job
plus encore que l'ancienne. Il posséda quatorze mille brebis, six mille chameaux, mille paires de bœufs et mille
ânesses. [13] Il eut sept fils[a] et trois filles. [14] La première, il
la nomma « Tourterelle », la seconde « Cinnamome » et la
troisième « Corne à fard ». [15] Dans tout le pays on ne trou-
vait pas d'aussi belles femmes que les filles de Job. Et leur
père leur donna une part d'héritage en compagnie de leurs
frères[b].

[16] Après son épreuve, Job vécut encore jusqu'à l'âge
de cent quarante ans, et il vit ses fils et les fils de ses fils
jusqu'à la quatrième génération. [17] Puis Job mourut chargé
d'ans et rassasié de jours[c].

---

a) Targ : « quatorze fils ». L'écriture du chiffre sept dans le texte reçu
n'est pas la forme ordinaire. Certains y voient les restes d'une forme de
duel. Il semble plutôt qu'il y ait combinaison de l'ordinal et du multipli-
catif.

b) Régulièrement, les filles ne devenaient héritières qu'en l'absence de
fils (cf. Nb **27** 1-11). Le fait témoigne de la richesse exceptionnelle de Job.

c) Comme les patriarches d'autrefois, Job atteint un âge très avancé,
le double de la vie normale (cf. Ps **90** 10). Il meurt « vieux et rassasié de
jours » : même formule pour Abraham et Isaac (cf. Gn **25** 8; **35** 29). —
Grec contient deux additions. La première, peut-être d'origine chrétienne,
témoigne qu'anciennement on voyait énoncée dans le livre l'idée de résurrection : « Il est écrit qu'il ressuscitera de nouveau avec ceux que le Seigneur
ressuscitera. » La seconde, empruntée à un midrash araméen, nous dit que
Job habitait « au pays d'Ausitide, aux confins de l'Idumée et de l'Arabie »;
elle l'identifie avec Yobab (Gn **36** 33), l'un des rois d'Édom descendant
d'Ésaü.

TABLE